D0714457

MILLE ET UNE IDEES POUR L'HOTESSE RAFFINEE

Illustration de la couverture : *Nature morte* de Willem Claesz Heda.
Maquette de François Royer.

LES EDITIONS QUINZE
3465 Côte-des-Neiges, suite 50, Montréal, Québec
H3H 1T7
Tél. : (514) 937-6311

Distributeur exclusif pour le Canada :
Les Nouvelles Messageries internationales du Livre Inc.
4435 boulevard des Grandes-Prairies
Saint-Léonard, Québec
H1R 3N4
Tél. : (514) 327-6900

Dépôt légal : 1er trimestre 1978, Bibliothèque nationale du Québec
ISBN : 0-88565-157-X

Marguerite du Coffre

MILLE ET UNE IDEES POUR L'HOTESSE RAFFINEE

Quinze

DU MEME AUTEUR

ICH SUCHE (poèmes), Amerikanisch/Ungarischer Verlag, Cologne, 1953 (épuisé).

ICH HEISSE TOMMY (nouvelles), Dr Heilmayer Verlag, Munich, 1960 (épuisé).

L'ART DE LA TABLE, Les Editions de l'Homme, Montréal, 1975.

A PARAITRE :

THE ARTS OF THE TABLE (titre provisoire), Optimum Publishing Company, Montréal, 1978.

THE NEW ETIQUETTE (titre provisoire), Optimum Publishing Company, Montréal, 1979.

"Quoi qu'il arrive, ne soyez pas fâché à table, et si vous avez raison de l'être, ne le montrez pas. Gardez une figure réjouie surtout devant des étrangers, parce que la bonne humeur fait un festin d'un simple plat de viande."

George Washington

Remerciements

Mes profonds remerciements à tous mes amis et élèves pour leurs aimables suggestions ; et tout particulièrement à mon ami, Me G. George Sand, pour ses précieux conseils.

TABLE DES MATIERES

AVANT-PROPOS 13

LES FLEURS 15

— Les fleurs naturelles 19
— Les fleurs naturelles séchées 23
— Les fleurs de soie 25
— Comment nettoyer les vases à fleurs 27

LA DECORATION 29

— Légumes 31
— Fruits 34
— Objets 36
— Serviettes 38
— Bougies 43
— Décorations de Noël et emballages de cadeaux . . . 45

A MANGER 53

— Les desserts 55
— Les salades 62
— L'oeuf 66
— L'avocat 71
— La pomme de terre 73
— L'oignon 76
— Le citron 77
— La grenade 79
— La tomate 80
— Quelques légumes 81
— La viande 86

— Le fromage 90
— Quelques fruits 92

A BOIRE 101

— Les vins 103
— Le cognac, le brandy, l'armagnac 117
— Les boissons fortes 120
— Le cidre 125
— La bière 127
— Le café 129
— Le thé 134
— Le chocolat 140

LES EPICES ET LES FINES HERBES 143

ENTRETIEN DE LA MAISON 165

— Linge maison 167
— Nettoyage 169

Argenterie 169
Etain 172
Aluminium 172
Laiton et cuivre 172
Chrome 173
Plastique 173
Poterie 174
Marbre 174
Bois 177

— Les taches sur les vêtements 178

Café 178

Graisse 178
Liqueur 178
Fruits 178
Gomme à mâcher 178
Rouge à lèvres 178
Rouille 179

– Autres suggestions utiles 179

AVANT-PROPOS

Comme mon premier livre, *l'Art de la table*, publié au Canada, celui-ci a été écrit pour vous, chère hôtesse et cher hôte.

Ce petit livre répond à toutes les questions qui m'ont été posées pendant les années où j'ai donné mes cours. Mais avant tout, ce livre a été possible à cause des connaissances acquises pendant ma jeunesse.

Quand je pense à une hôtesse parfaite, je pense avec beaucoup d'amour, une admiration immense et une grande tendresse, à ma chère mère qui, en plus d'être une grande dame, avait aussi beaucoup de considération pour son entourage. Elle connaissait la réponse à tout et rendait une "soirée" inoubliable.

Plusieurs des conseils contenus dans ce livre me viennent de ces jours heureux et je les partage ici avec vous afin de faciliter votre tâche, embellir vos invitations et les rendre plus séduisantes.

J'ai aussi essayé de vous donner une idée de l'histoire des choses qui nous entourent et qui nous sont tellement familières que nous oublions de chercher à en découvrir la source. L'histoire de tout ce qui concerne la table est fascinante, et en voici quelques détails.

LES FLEURS

La vie dépend de la présence des plantes. L'homme ne peut pas exister dans un environnement sans verdure. A part d'être utilisées comme nourriture et ingrédient dans les médicaments, les plantes ont une grande importance dans notre vie de tous les jours. Les urbanistes, les architectes, les dessinateurs des centres d'achat et les décorateurs intérieurs sont conscients du fait que les plantes sont essentielles pour le bien-être de l'homme dans les déserts de pierre de nos grandes villes.

La fleur, dans la langue commune, est la "partie brillante et colorée de la plante". Elle est synonyme de joie et de bonheur. Elle est aussi connue comme une aide nous permettant de mieux supporter les moments difficiles de la vie. C'est pour ces raisons que l'homme a adopté cette coutume de donner des fleurs pour toutes les occasions. On parle de la fleur comme d'une des plus belles choses de la nature. Il n'est donc pas trop étonnant qu'on essaie de s'entourer de ce miracle de la création.

Le Grec Théophraste (372-287 avant J.-C.) est reconnu comme le père de la botanique avec ses études sur la vie des plantes. Les Romains ont cultivé les plantes comme objets décoratifs. Et Babylone, fondée approximativement 2 450 ans avant J.-C., fut connue – entre autres – par ses jardins suspendus, une structure construite comme une pyramide avec jardins, fontaines, salles de banquets, etc.

En Chine et au Japon, l'art de cultiver et d'arranger les fleurs a été connu depuis l'antiquité. Le chrysanthème, surtout, peut être retrouvé dans les oeuvres d'art anciennes de ces pays.

La fleur a joué un rôle important à travers les siècles comme décoration de table, mais elle a trouvé sa place sur la table seulement à la fin du XVIIe siècle. Avant ce temps, on créait plutôt l'impression d'un jardin ou de forêts en couvrant très souvent de plantes et de fleurs le parterre, les plafonds et les murs entiers des salles à dîner.

A la fin du XVIIe siècle, aussi connu comme le siècle des superlatifs, on commença à décorer le milieu de la table à dîner et ce fut la naissance du "centre de table" d'aujourd'hui.

Il semble que la décoration de la table moderne essaie de mettre en valeur la beauté d'une seule fleur. Les décorations massives d'hier sont plutôt remplacées par quelques fleurs, souvent combinées avec des objets, des fruits ou des légumes.

N'oublions pas que la fleur parle la langue de la consolation. Elle a été créée pour nous donner un rayon de soleil dans nos vies.

Les fleurs naturelles

– Pour garder les roses et les tulipes fraîches jusqu'à l'arrivée de vos invités, enrouler autour des fleurs un ruban spécial "Floral Tape" utilisé par les fleuristes ; enlever avant l'arrivée des invités.

– Garder l'arrangement dans une pièce sombre et fraîche, mais éloigner du système de climatisation.

– L'eau n'est jamais froide, mais toujours à la température de la pièce.

– Pour arranger les fleurs dans un vase de cristal transparent : croiser du ruban adhésif transparent sur le vase et placer les fleurs dans les espaces.

– Pour les vases opaques, faire une boule avec du grillage de poulailler. Les fleurs tiennent en place dans les trous.

– Aussi, on peut remplir un vase opaque avec des restes d'oasis (matière spongieuse verte).

– Les vases transparents peuvent être mis en valeur en y mettant des pierres de couleur, ou même des pierres semi-précieuses, ou des boules de cristal, etc. Les fleurs à longue tige sont ainsi gardées en place.

– Couper les fleurs du jardin tôt le matin avant qu'elles ne soient séchées par le soleil ; surtout les roses, avant que les fleurs ne s'ouvrent.

– Utiliser un couteau bien aiguisé.

— Les tiges doivent être coupées sous l'eau et en biais.

— Conditionner les fleurs en mettant la tige dans un contenant rempli d'eau à la température de la pièce ; *la fleur elle-même n'est pas dans l'eau*.

— Les tulipes sont conditionnées dans l'eau chaude pendant une minute. Attention aux fleurs qui sont enveloppées de plastique pendant cette opération.

— Pour les fleurs avec une tige en "bois" (lilas, chrysanthèmes, etc.), écraser l'extrémité des tiges avec un marteau.

— Une façon facile de faire durer vos fleurs plus longtemps :

  — Couper les fleurs en biais (même celles venant du fleuriste) et mettre dans l'eau tiède, puis dans l'eau froide avant de faire l'arrangement dans l'eau à température de la pièce. Ceci a pour effet de faire ouvrir les "pores" et de permettre ainsi aux fleurs de "boire" plus d'eau.

  — Couper les tiges un peu chaque jour.

  — Couper les fleurs en biais avec un couteau trempé dans du sel ; les fleurs restent fraîches pendant toute une semaine.

  — Ne pas mettre trop de fleurs dans un vase ; elles ont besoin de respirer.

— Enlever les feuilles qui sont sous l'eau ; elles empoisonnent l'eau, ce qui a pour effet de faire mourir les fleurs.

— Pour les fleurs à tige courte, prendre un bol rempli de sable blanc et d'eau. En plus d'être très décoratif, cela vous permet de garder les fleurs en place et fraîches plus longtemps. (Idéal pour les vases transparents où vous ne pouvez pas utiliser la mousse.) Mélanger le sable avec quelques pierres : cela produit une décoration très intéressante.

— Les chrysanthèmes restent frais plus longtemps si vous ajoutez un peu de sucre dans l'eau. Un peu de cire au dos de la fleur empêche les pétales de tomber.

— Les merveilleuses feuilles d'automne (les couleurs du Canada) restent fraîches si vous mettez dans l'eau deux à trois onces de glycérine.

— Si vous voulez faire ouvrir des roses ou des tulipes en vitesse, mettez les tiges dans l'eau chaude. Pour faire ouvrir les boutons de rose, ajoutez à l'eau un cube de sucre.

— Pour garder votre bouquet frais, ajouter de l'eau froide — ou changer l'eau — tous les jours.

— Les fleurs n'aiment pas la chaleur ; aussi, ne mettez pas de bouquet sur la télé.

— On peut souvent ranimer les fleurs fanées en mettant les tiges dans de l'eau *très* chaude.

— Les vases gardent souvent des bactéries qui font faner les fleurs. Il faut donc bien laver les vases avec un détergent et bien rincer avant d'y mettre les fleurs.

— Les fleurs fanées ont très souvent besoin d'un "bain". Coucher les fleurs dans la baignoire, ou mettre dans un seau (la tête reste hors de l'eau).

— Attention au parfum des fleurs (et des bougies) sur votre table à dîner.

— *Les fleurs n'aiment pas votre réfrigérateur*. (Le vin non plus.)

— Très souvent, la tête des oeillets d'Inde tombe. Redresser en insérant un cure-dents dans la tige par le milieu de la fleur.

Cette fleur n'a pas un parfum agréable. Pour en éliminer la mauvaise odeur, mettre une cuillerée à thé de sucre dans l'eau.

— Une idée qui m'est très personnelle : arroser les fougères intérieures une fois par semaine avec du thé faible.

— Comme souvenir à chaque invitée lors d'un thé, donner un petit bouquet de fleurs sauvages attachées dans un joli petit mouchoir.

— Un centre de table exceptionnel : des plantes sauvages dans une corbeille.

— Un petit pot à fleurs en face de chaque convive, dans lequel vous mettez une carte avec son nom.

— Les corsages (la boutonnière) : la fleur vers le haut et la tige vers le bas (comme la fleur pousse). Les dames enlèvent le papier d'aluminium afin d'éviter les taches sur la robe.

Les fleurs naturelles séchées

— Donner à vos fleurs séchées une mince couche de laque à cheveux ; ceci empêche la poussière de s'y incruster, et empêche aussi les fleurs séchées de se briser.

— On peut conserver les fleurs de toutes les saisons (fleurs sauvages ou de jardin) en utilisant pour chaque variété la méthode appropriée :

— Immortelles et différentes herbes : suspendre à l'air.

— Fougères et la plupart des fleurs sauvages : sous presse.

— Feuilles colorées de nos bois : entre plusieurs épaisseurs de papier journal sous le tapis (mettre un peu d'huile sur chaque feuille avant et après le procédé).

— Branches : dans une solution 1/3 de glycérine et 2/3 d'eau chaude.

— Roses, oeillets, marguerites, dahlias, pivoines, lilas, etc. : dans des boîtes remplies de Silica-gel (cette méthode est la meilleure pour notre climat). On peut aussi utiliser le sable de mer séché et tamisé.

— Présentation : soutenir certaines tiges avec du fil de fer (broche à poulet), cacher la base de "styrofoam", ou d'oasis, avec des feuillages, etc.

– Une façon très différente de présenter vos fleurs séchées : mettre chaque fleur dans un petit pot individuel. Planter un "jardin" au milieu de votre table.

– Les fleurs séchées sont une décoration idéale pour les salles de bains.

– Les coquillages blanchis avec fougères et fleurs séchées dans une salle de bains.

– Une façon nouvelle et rapide de faire sécher fleurs et fines herbes : le four à micro-ondes.

  – Estragon, basilic, marjolaine, sarriette, sauge, thym, menthe : enlever les feuilles de leurs tiges. Etendre sur une feuille de papier d'aluminium sur un carton. Couvrir les feuilles des fines herbes avec une autre feuille de papier d'aluminium et mettre dans le four à micro-ondes. Chauffer pendant 20 secondes. Toucher les feuilles des fines herbes pour vous assurer qu'elles sont bien sèches. (Peut-être ont-elles besoin de 10 secondes de plus.) Laisser reposer 10 minutes. Conserver dans un bocal fermé.

  – Les tiges ont besoin de 25 à 30 secondes pour sécher. On les fait sécher séparément des feuilles.

  – Les fines herbes ont des textures différentes ; c'est pourquoi je ne peux pas donner le temps précis pour chaque catégorie. Mais après quelques essais, vous trouverez que le procédé est très facile et une réussite garantie.

– Les fleurs séchées dans un four à micro-ondes gardent

leurs couleurs naturelles et aussi leurs formes naturelles. Comme avec les fines herbes, le procédé est très rapide et après quelques essais on peut réussir facilement. (Les fleurs séchées utilisées par les décorateurs et dans le commerce sont séchées dans de grands fours à micro-ondes.)

– Les fleurs séchées avec du Silica-gel au four à micro-ondes prennent de 30 secondes à une minute ; cela leur donne une apparence fraîche et vivante pour longtemps ; on dirait des fleurs venant directement du jardin.

– J'ai essayé les fleurs suivantes : roses, jonquilles, oeillets, fleurs sauvages, pensées, lis, géraniums et feuilles de toutes sortes.

– Prenez des fleurs à moitié ouvertes. Mettre dans un pyrex de 8" x 12" à moitié rempli de Silica-gel. Placer les fleurs sur le Silica-gel et couvrir avec une autre couche de Silica-gel jusqu'à ce que toutes les fleurs soient couvertes. Mettre au four à micro-ondes (avec un peu d'eau au fond du four). Chauffer pendant 30 secondes. Vérifier si les fleurs ont la texture voulue. Cela peut prendre jusqu'à une minute dans le four ; tout dépend de la grosseur des fleurs. Si les fleurs ne sont pas assez séchées, recouvrir à nouveau de Silica-gel et recommencer le procédé. Lorsque les fleurs sont séchées à point, les retirer avec précaution. Disposer comme des fleurs séchées ordinaires. *Noter qu'elles sont très fragiles*.

Les fleurs de soie

– Les fleurs de soie et coton sont considérées comme des fleurs naturelles car elles sont fabriquées d'une matière naturelle. Elles sont aujourd'hui acceptées comme décoration de table ; les fleurs de plastique, non.

– Leur donner une mince couche de laque à cheveux pour les garder fraîches plus longtemps.

– Une fois par mois (au moins), brosser délicatement chaque fleur et chaque feuille avec une brosse très souple en soutenant chaque fleur avec la main. Ne *jamais* employer de l'eau.

– Pour réussir un bel arrangement, il faut toujours cacher la base en "styrofoam" ou oasis avec de la fougère sèche, de l'asperge ou des feuilles.

– Employer toujours des fleurs différentes – des grosses, des moyennes et des petites – pour faire un bouquet.

– Très joli : une seule rose de soie couchée dans un verre ballon.

– Les fleurs de soie et les branches, herbes et feuilles sèches se marient très bien.

– Les arrangements de table faits avec des fleurs de soie peuvent être embellis avec quelques fleurs naturelles pour une soirée importante. Envelopper les fleurs naturelles avec un peu de coton imbibé d'eau et du papier d'aluminium pour donner un peu plus d'humidité aux fleurs.

– Pour faire un bouquet "printannier" en plein hiver, mélanger quelques fleurs de soie, tulipes, jonquilles, muguets, etc., avec des fleurs fraîches de la saison : roses, oeillets, mimosas, anémones, etc.

— Donner à vos fleurs de soie une "nouvelle vie" après quelques années, avec un pinceau et des couleurs à l'eau (avec prudence !) .

Comment nettoyer les vases à fleurs

— Nettoyer les vases (et carafes à vin) à petite ouverture en y mettant des pommes de terre crues et coupées en petits morceaux, y ajouter de l'eau froide, secouer fortement, laisser reposer, secouer souvent pendant 2 à 3 jours. (Ajouter 1/2 tasse de vinaigre si les taches ne partent pas.)

— La pelure d'un pamplemousse ou le jus de citron ont le même effet.

— Les vases qui perdent leur brillant peuvent être lavés avec 2 c. à table de soda pour chaque tasse d'eau.

— Les vilaines taches dans les vases s'enlèvent avec de l'eau tiède et des feuilles de thé. Laisser reposer toute une nuit. Laver les vases au détergent et à l'eau le lendemain.

— Les vases en argent (ou argentés) restent brillants plus longtemps si on les recouvre d'un peu de poli à meuble après les avoir nettoyés.

— Les vases profonds peuvent être nettoyés avec une solution de vinaigre et de sel. Laisser reposer pendant une ou deux heures, secouer et rinser.

— Les vases en cristal brillent si on les lave dans une solution d'ammoniaque et d'eau chaude.

— Les bibelots en cristal sont plus jolis lorsque nettoyés avec du nettoyeur à vitre avec ammoniaque.

LA DECORATION

Légumes

— Les légumes ont aujourd'hui une place très importante dans la décoration de table (buffets, et parfois des grandes invitations avec un thème qui se base sur les légumes, leurs variétés de couleurs, formes et textures). On peut les manger le lendemain ou, comme on fait très souvent dans les grandes invitations, bals, etc., on les donne aux hôpitaux, etc.

— Aubergines remplies d'anémones comme centre de table et entremêlées de bougies de couleurs assorties

ou

une aubergine remplie d'anémones pour chaque invité. et une grande corbeille d'aubergines et d'anémones comme centre de table

ou

une aubergine remplie de raisins verts à chaque place et un grand plat d'aubergines et de raisins verts comme centre de table.

— Le chou rouge et les anémones sont utilisés de la même façon : les petits choux rouges peuvent être mis devant chaque place ; on peut aussi poser la carte au nom du convive dans les petits choux décorés de fleurs.

— Les artichauts et les marguerites blanches : on enlève avec des ciseaux quelques feuilles des artichauts et on y met à la place quelques marguerites blanches.

— Centre de table assorti : les artichauts et les petites tomates comme centre de table et deux ou quatre artichauts comme porte-bougies. On enlève quelques feuilles des artichauts avec des ciseaux et on y place la bougie.

Les artichauts et les petites tomates du centre sont fixés en place à l'aide de bâtonnets de bambou dans un demi-oasis (mousse florale).

— Les courges vertes aux taches jaunes avec les marguerites jaunes.

— Les citrons (ou limettes) et le persil représentent une décoration idéale pour un dîner aux fruits de mer (poisson).

La même idée, mais entremêlés de limettes avec des marguerites blanches, des citrons et des marguerites jaunes pour un buffet.

Pour construire cette pyramide, il faut d'abord faire une base triangulaire avec des citrons tenus en place avec des cure-dents. Continuer à empiler d'autres citrons pour en faire une pyramide. Remplissez les trous avec du persil ou des fleurs, ou encore avec de toutes petites boucles de ruban de soie aux couleurs harmonieuses.

— Pour quelque chose de différent, essayez les asperges (ou grissoles) comme décoration de pots de fleurs (très joli autour d'un pot rempli de fleurs printannières ou rempli de fruits ou légumes frais, comme centre de table).

— La fameuse laitue de Boston avec des marguerites blanches : ouvrir délicatement une laitue et y placer des fleurs fraîches.

— Une pièce montée de légumes et de feuilles vertes (ou persil) : sur une base de mousse florale (oasis) mouillée, on place un assortiment, de légumes en harmonie de couleurs, de formes et de textures. On les tient en place avec des bâtonnets de bambou. Les haricots sont tenus en place avec des tiges de fer.

— Fleurs sauvages et légumes dans un pot en cuivre (étain ou poterie). Très joli pour un buffet champêtre.

— Un centre de table composé de légumes dans une terrine à soupe.

— Un bol en cristal.

— Un panier.

— Les aubergines, les artichauts et les violettes africaines dans un panier chinois : les légumes sont simplement posés dans le panier entremêlés aux violettes africaines dans leurs propres pots (les couleurs doivent s'harmoniser).

— Du persil dans un pot en poterie avec des chandelles piquées de radis rouges : le pot est rempli d'oasis humide dans lequel on plante le persil. Les bougies sont placées dans l'oasis et les radis sont coupés en rose et tenus en place par des cure-dents.

— Des radis blancs et des champignons dans une simple boîte en bois (ou un pot à fleurs), maintenus en place sur des bâtonnets de bambou dans l'oasis sec.

— Même idée avec des guimauves de différentes grosseurs, ou des bonbons mous pour les fêtes enfantines.

— Un panier en osier peinturé en rouge avec des pots miniatures de géraniums rouges entremêlés de poivrons rouges et de grosses tomates (décoration monochromatique : une seule couleur). Seules les feuilles naturelles du géranium donnent un accent vert.

Fruits

— Faire un petit panier décoratif rempli de fraises fraîches (ou autres petits fruits), à offrir comme cadeau à vos invités. Le panier est enveloppé dans une serviette de table ou dans un joli mouchoir ou un tissu de fantaisie.

Une autre idée : remplir avec quelques fleurs sauvages.

— Remplir des petits pots avec de la confiture maison ou des fruits en conserve (faits à la maison) et décorer avec un joli tissu et le nom de chaque invité. Ceci remplace la carte des invités.

— Une belle pomme rouge décorée avec des cure-dents de couleur et piquée de petites guimauves placée dans une soucoupe (pour fêtes enfantines).

– Quelques fruits aux couleurs vives harmonieusement entremêlés d'oeillets et de feuilles vertes. Très joli pour les dégustations de vins et fromages.

– Pour la table à dessert (après un grand buffet chaud ou froid) : la pièce montée de fruits, couronnée d'un ananas, le symbole de l'hospitalité. Les fruits sont tenus en place avec des cure-dents ou, mieux encore, des bâtonnets de bambou. Les trous entre les fruits sont remplis avec de la fougère verte. Ceci permet de cacher la base qui est faite avec la mousse florale (oasis). On place des fruits frais autour de cette pièce montée et bonne à manger.

– Même la table d'un dîner très élégant peut être décorée avec des fruits au lieu de fleurs comme d'habitude. Sur une base de "styrofoam" en forme de cône, on place des fruits différents qui sont tenus en place avec des cure-dents (ou des bâtonnets de bambou). Quelques fleurs ou de la verdure, même des fleurs de soie, remplissent les trous entre les fruits.

Les pyramides d'une hauteur de plus de 12" – 14" doivent être placées de façon à ne pas gêner la vue des convives.

– Un centre de table hawaïen est composé de 5 bananes (ou mangues, papayes) disposées sur de la mousse florale mouillée (oasis) et entremêlées de fleurs aux couleurs exotiques.

– De petits fruits sauvages plantés dans de petits pots et placés sur la table. Ceci pour créer une table "paysage".

– Une grosse citrouille avec des fruits et des "oiseaux de paradis" : coupez la base de la citrouille afin qu'elle tienne bien en place. Enlevez la "tête" et remplissez d'un morceau d'oasis mouillé. Remplissez de jolis fruits, de feuillage et de quelques "oiseaux de paradis". Très exotique et fort joli pour un buffet d'automne.

— Une laitue chinoise placée dans un contenant transparent (seau à glace) au fond duquel vous déposez quelques petites pierres blanches (ou de couleur) peut remplacer un centre de buffet traditionnel. Aussi très joli si vous placez la laitue chinoise sur de la mousse des forêts naturelle ou séchée.

— Le printemps sur la table : un panier rempli de mousse des forêts fraîche ou séchée. Placez au milieu un pot avec des tulipes et décorez avec quelques fruits.

— Un jardin de fleurs et de fruits sauvages : plantez dans la mousse quelques fleurs et fruits trouvés dans la forêt, entremêlés de pierres trouvées dans la nature. Pour une soirée de fête, plantez aussi des bougies dans ce petit jardin. Le tout peut être placé sur un plateau en plastique ou du papier d'aluminium (Les enfants se feront un plaisir de trouver des plantes et des pierres en forêt.)

Cette décoration remonte au XVIIe siècle, où le muguet, les violettes, les fraises sauvages, etc., étaient plantés dans la mousse fraîche pour couvrir les tables et parterres dans la salle à manger.

Objets

— Des figurines (chinoises) placées dans un jardin de fleurs.

— Des bibelots remplis de fleurs (ou fleurs et fruits).

— Groupez seulement des presse-papier ou autres objets décoratifs comme des figurines, des bouteilles antiques, des canards de bois antiques, des poupées antiques, des objets en cristal, un obélisque, des petites boîtes en laque de Chine ou en osier oriental, des faïences, des bonbonnières, des objets en terre cuite, des objets en verre opaque antique, etc.

— Une terrine en argent, en étain ou en faïence peut remplacer le centre de table. Elle peut être vide, tout simplement comme décoration, ou bien remplie de pain ou de fruits qui servent après le repas avec le fromage.

— Comme décoration, essayez de placer votre plus beau cadre (ou peinture) comme arrière-plan (ou fond) pour votre table, si celle-ci est trop petite pour recevoir le centre de table traditionnel. Laissez-vous inspirer par ce cadre ou ce tableau pour le menu, le vin, etc., et prenez ce cadre ou tableau comme thème (ou sujet) pour votre soirée.

— Les papillons découpés dans du papier et les ballons pour une soirée d'été sur la terrasse ou dans le jardin.

— Les coquillages, les pierres et pierres semi-précieuses font des décorations naturelles et fort jolies. Même le sable blanc de la mer et les étoiles de mer et coquillages plantés avec les herbes et les fleurs séchées représentent des centres de tables très originaux, surtout pour les dîners aux crustacés et poissons.

— Une simple corbeille remplie de coraux et de coquillages.

— Un nautile (argonaute) rempli de petites fleurs séchées.

— Un triton du Pacifique avec des plantes vertes.

Serviettes

— Placez les serviettes style "boutique".

— Décorez d'une fleur.

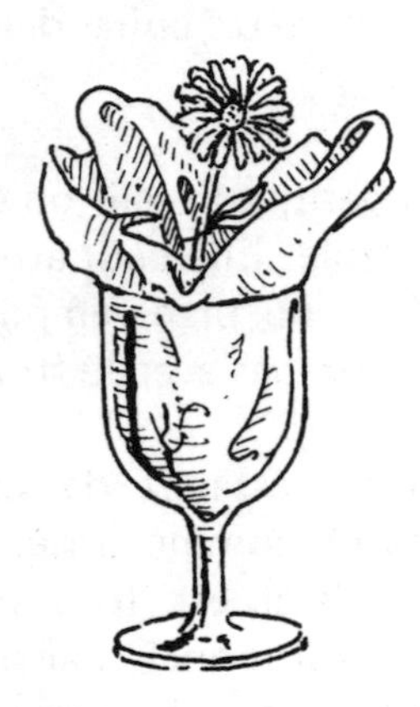

— Style "fleur de lys" (voir *l'Art de la table* pour explications).

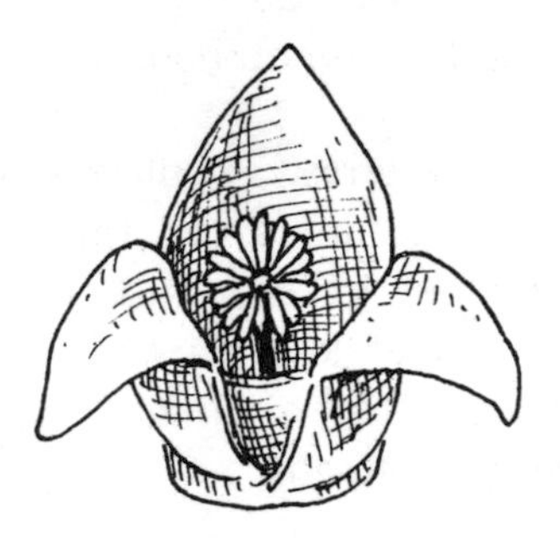

– Roulez et entourez d'un joli ruban.

– Style "maison blanche".

– Style "cravate" (très joli avec un rond de serviette).

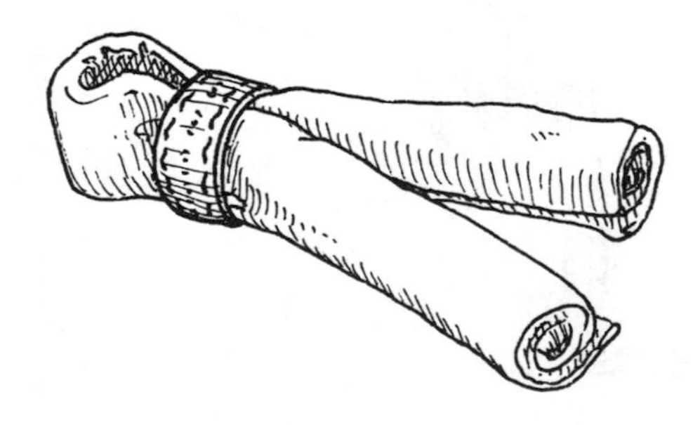

– Style éventail (avec rond de serviette).

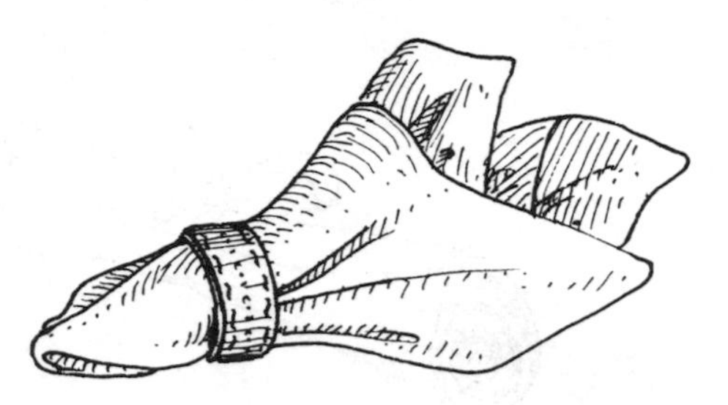

– Style "mitre" : on peut mettre le petit pain dans l'ouverture de la serviette.

– Simple et toujours correct : placez la serviette pliée avec l'ouverture vers l'assiette du côté gauche de l'assiette. Les ustensiles ne sont jamais placés sur la serviette.

Dîner officiel* :

Au milieu de l'assiette de présentation (assiette de service).

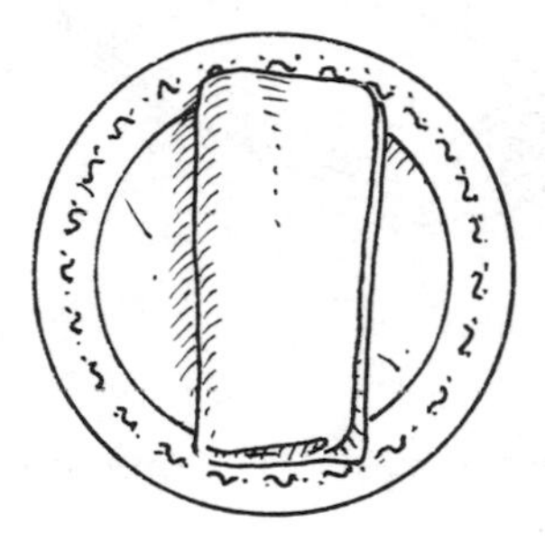

(ouverture vers la droite)

* Notez que la serviette pour un dîner officiel ne doit avoir que les quatre plis "naturels" quand elle est ouverte. Tous les pliages qui laissent des traces de plis autres que ces quatre ne sont pas admis pour un dîner officiel.

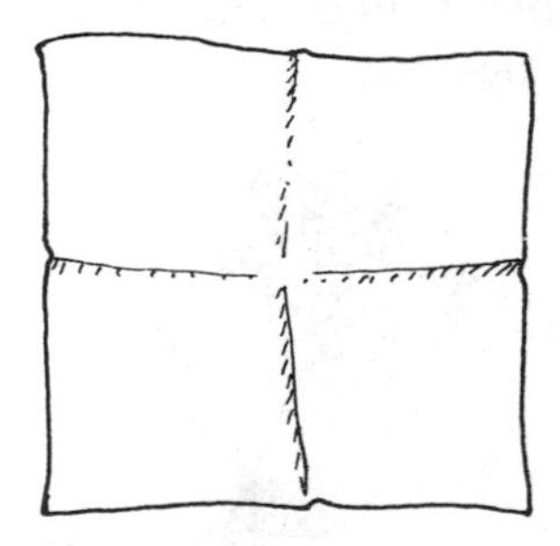

— Une serviette roulée : très simple et toujours très jolie.

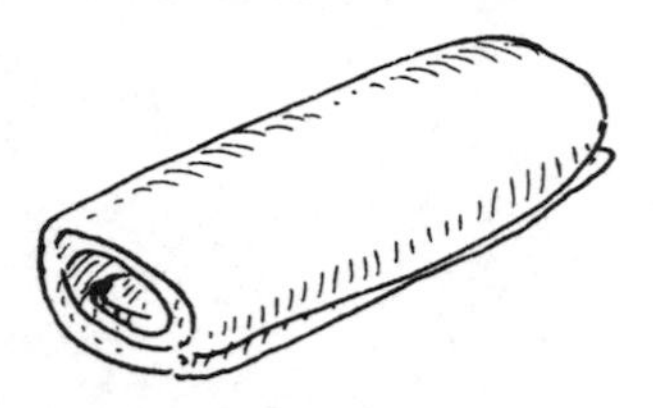

— Le tissu de la serviette a servi comme décoration au contenant pour les fleurs.

— Le tissu de la serviette (ou de la nappe) a servi à la fabrication d'une simple marguerite qui fait un joli cadeau ; aussi comme arrangement.

Bougies

– Les bougies brûlent plus lentement et de façon plus égale si on les met au réfrigérateur quelques jours avant de les utiliser.

– Mettez les bougies dans de l'eau salée (3 c. à table de sel par bougie et suffisamment d'eau pour les couvrir) ; ceci empêche les gouttes de cire de tomber.

– Ne laissez jamais se poser des matières étrangères sur la partie des bougies qui brûle (morceaux de mèche, allumettes, etc.).

– Coupez la mèche courte.

– Enveloppez les bougies dans du papier de soie pour les garder propres et les empêcher de se casser.

– Mettez la partie du bas dans l'eau chaude pour un moment avant de la mettre dans un bougeoir. Gardez dans la main un instant jusqu'à ce que la bougie soit refroidie et reste droite.

– Mettez un peu de plasticine dans le chandelier si la bougie est trop mince.

– Un peu de ruban adhésif autour de la bougie donnera le même résultat.

– Un morceau de papier d'aluminium autour d'une bougie empêche le chandelier de verre de craquer.

– Pour enlever la cire d'un chandelier en argent, mettez

celui-ci sous le robinet d'eau chaude et enlevez la cire avec les doigts. (L'eau chaude enlève aussi la ternissure légère.)

— Les bougies brûlent avec moins de fumée si on les trempe dans de l'eau savonneuse avant de les utiliser.

— Les bougies ordinaires teintes en couleur peuvent être "décorées" avec les doigts. Après quelques secondes dans l'eau tiède, on peut "imprimer" des dessins simplement en les modelant avec les doigts.

— Les bougies de différentes longueurs dans différents chandeliers placés sur un miroir, entremêlés de fleurs si l'on veut.

— Plantez un bouquet de fleurs autour de votre chandelier. La mousse florale (oasis) est tenue dans le chandelier par la bougie et les fleurs sont placées dans l'oasis.

— Placez une bougie dans un artichaut (on ouvre simplement les feuilles et on place la bougie). Le coeur d'artichaut est intact et peut être utilisé dans la cuisine.

— Placez une bougie dans des piments rouges ou verts. On coupe une rondelle de la grandeur de la bougie.

— Décoration de pommes rouges et bougies de Noël. Placez les pommes rouges sur un plat rempli de sapin. Faites tenir en place avec des bâtonnets de bambou sur de l'oasis. Coupez une ouverture pour chaque bougie dans les pommes.

— Une pomme rouge avec bougie pour chaque place des

invités : mettez la pomme dans une soucoupe avec du sapin.

Décorations de Noël et emballages de cadeaux

— La décoration de Noël est encore plus belle et plus recherchée avec des pensées plus profondes, donc plus instructives et enrichissantes pour les enfants, si l'on pense aux symboles traditionnels des objets utilisés pour cette plus belle des fêtes.

La bougie : la lumière qui arrive dans l'obscurité terrestre.

La verdure : la victoire de la vie sur la mort de l'hiver.

Les branches de sapin et de pin : l'espérance de la vie nouvelle.

La couronne de Noël : l'infini, la création, la fin de l'Ancien Testament, le début du Nouveau Testament avec la Noël.

Chardon : la beauté défensive, l'austérité, les responsabilités dans la vie.

Cônes, fruits et semences : porteurs de la vie nouvelle.

Les branches décorées de bougies, de mousse, de cônes, de noix, d'immortelles sèches, de boules de Noël, etc. peuvent être fabriquées facilement avec un peu de plasticine, du fil de fer et du matériel trouvé dans la nature.

Un cône peut servir comme chandelier. La bougie est

fixée sur le cône avec de la plasticine et décorée de quelques matières sèches.

Les cônes sont conservés avec une laque d'artiste sous pression.

Utilisez la laque à cheveux pour les couronnes faites avec des matières sèches. Ceci prolonge considérablement leur vie.

Gardez l'arbre de Noël — ou bouquets de pin et sapin — dans une solution 1/3 de glycérine et 2/3 d'eau chaude. (La glycérine se mélange mieux à l'eau chaude.) Ajoutez un peu d'eau au fur et à mesure qu'elle s'évapore.

Même si l'on met l'arbre de Noël simplement dans un contenant rempli d'eau, il se gardera frais plus longtemps. L'eau diminue considérablement les dangers d'incendie.

Si vous vous salissez les mains avec la résine en travaillant avec les branches de pin ou de sapin, vous pouvez les nettoyer avec un peu d'eau et de bicarbonate de soude. Frottez les mains et la résine s'enlève très facilement.

— La "pomander" au clou de girofle est une coutume de Noël européenne fort décorative avec une odeur particulière. Très jolie comme décoration de table mélangée avec des noix, des dattes, des fruits, des confiseries, etc. (L'hôtesse attentive peut casser les noix à l'avance pour faciliter la tâche de ses invités et pour éviter les écales partout.)

On décore avec des rubans pour suspendre dans les armoires à linge comme assainisseur naturel.

Voici la recette de mon enfance pour les "pomanders" :

Des pommes fermes
(ou des oranges à mince pelure).
1/2 livre de clous de girofle à longue tige pour 6 à 8 fruits
Protégez vos doigts pendant ce travail.
Les fruits doivent être remplis en rangées rapprochées de clous de girofle. On peut les garder pendant des années. S'ils perdent leur parfum, on peut les laver dans de l'eau tiède et les rouler dans un mélange d'épices (voir plus loin).
Il faut compter une heure de travail pour terminer un fruit. Il est nécessaire de terminer la préparation dans les 24 heures. Autrement, les fruits se gâtent.

Mélange d'épices pour 6 à 8 fruits :

1/4 tasse cannelle moulue
1/4 tasse clous de girofle moulus
1/4 tasse muscade et toutes épices moulues
1/4 tasse gingembre moulu
1/4 tasse racine d'iris en poudre

Les fruits piqués de clous de girofle sont mis dans ce mélange d'épices et laissés pour une semaine dans un endroit sec et chaud. Le contenant reste découvert et les fruits doivent être retournés tous les jours.

Après une semaine on les enlève des épices, on les décore de rubans, mais on les laisse encore pour une semaine à sécher avant de les emballer comme cadeaux ou de les placer dans les armoires ou de les utiliser comme décoration.

– Essayez de faire un petit arbre de fines herbes sèches. Un cône en "styrofoam" est la base de ce travail.

– Ou décorez (par les enfants) un cône de "styrofoam" avec des bonbons (les bonbons sont collés avec une colle sur la base) ; utilisez aussi des guimauves, des haricots ou des petits pois secs.

– Ou piquez dans une base de "styrofoam" des petites pommes rouges et de la verdure.

– Même idée avec les noix dorées ou argentées entourées de pommes rouges avec des bougies et couronnées d'une pomme rouge et d'une bougie.

– Décoration de table fort jolie et très facile à réaliser : remplissez des bols en cristal avec des boules de Noël de couleur. Mettez un plat à fruits sur le bol, ou, pour les enfants, un plat à bonbons ou gâteaux.

– Les guirlandes faites avec du maïs soufflé sont très connues, mais avez-vous déjà essayé avec des canneberges ?

– Avez-vous pensé à partager votre arbre de Noël avec les oiseaux et à instruire vos enfants en même temps à la connaissance de la vie des animaux ?

Décorer les arbres de Noël pour les animaux de la nature était une coutume en Suède. Presque chaque maison avait son arbre pour les animaux (oiseaux, écureuils, etc.). Cette charmante coutume fut oubliée pendant quelque temps, mais semble s'être renouvelée aujourd'hui.

Il s'agit tout simplement de "planter" un petit sapin ou

quelques branches dans un pot et de le placer dans le jardin ou sur la terrasse. On met dans l'arbre de la nourriture pour les animaux. (Informez-vous auprès de la Société protectrice des Animaux au sujet de la nourriture adéquate pour les animaux qui vivent autour de nous.)

J'ai fait l'expérience avec la nourriture suivante : guirlandes de maïs soufflé, de canneberges, d'arachides dans leur coquille, de raisins secs, de dattes, de figues, etc.

Un morceau de graisse de porc ou de boeuf cru, des biscuits congelés, attachés avec des rubans.

Des branches de houx et des graines d'aubépine, des cônes de sapin avec un peu de beurre d'arachides ou un peu de graisse de porc (ou de boeuf) fondue et des graines pour oiseaux. Les oiseaux aiment aussi les graines de melon séchées, le riz et les noix.

Les oiseaux viennent s'amuser à picorer les graines que vous avez joliment placées. (Encouragez vos enfants à préparer cet arbre pour les animaux.)

Les oiseaux reviennent chaque année par habitude.

Faites une guirlande avec des branches de sapin, des cônes, des noix et des fruits frais autour d'un bol suspendu.

— On obtient les couleurs traditionnelles de Noël en disposant les légumes en forme d'arbre de Noël sur un buffet. Les tomages pour le rouge, le brocoli pour le vert et les choux-fleurs pour le blanc. Une sauce mayonnaise est placée dans un bol et les invités se servent eux-mêmes.

— Les boules incassables peuvent être décorées de façon très originale avec des "dessins" faits avec des épingles à tête en couleur, rubans, perles, paillettes, etc.

Emballages de cadeaux

— Un emballage simple, facile et pas cher pour les cadeaux est le papier d'aluminium. Bien enveloppé et décoré avec des rubans de couleur, il remplace un papier plus coûteux.

On peut facilement embellir chaque emballage avec des petits "extras" : une fleur faite à la main, quelques chocolats ou bonbons placés sur des tiges de fer et attachés avec un très joli ruban ; ou emballez le cadeau avec des restes de tissu cousus ensemble dans un motif "patch work".

– Ecrivez le nom de la personne à qui le cadeau est destiné avec de la colle sur le paquet, et, avant que la colle ne sèche, saupoudrez avec de la "neige de Noël" (ou des petites paillettes) ; les enfants aimeront faire cela.

Les enfants aimeront trouver une petite douceur sur l'emballage : une étoile de Noël ou un biscuit maison, quelques chocolats ou bonbons.

A MANGER

Les desserts

Le dessert est le sourire après le repas.

— A la cour de Charles V de France, selon le livre *Gourmet* écrit en 1375 et dans lequel on retrouve les règles strictes pour le service d'un menu, les douceurs étaient servies à la fin du repas et on parlait déjà d'un vin fortifié qui accompagnait les douceurs. On servait aussi des épices sèches pour aider la digestion. Au XVIIe siècle, le dessert servi par une foule de domestiques était somptueusement décoré et parfois à un tel point élaboré que les pièces montées de fruits et de pâtisseries passaient à peine par les portes.

— Il est indispensable de "nettoyer" la table avant la présentation du dessert, c'est-à-dire : enlever le sel et le poivre, les verres utilisés, aussi toutes les assiettes et la coutellerie, sauf ce qui est utilisé pour le dessert. S'il y a des miettes de pain, on doit les enlever avec une petite brosse ou avec une serviette pliée. Le dessert est, même aujourd'hui, un plat très spécial qui est toujours servi aussi joliment que possible. Dans mes cours sur l'art de la table, je montre la préparation d'une table roulante pour le dessert. Il n'est pas obligatoire de servir le dessert à table ; spécialement en été, sur le patio ou dans le jardin, la "table roulante du dessert" est une très bonne idée.

Evidemment, on peut aussi prendre une charrette de jardin ou même une brouette ; surtout si on a beaucoup d'invités.

— Les fraises sont plus jolies si elles sont servies sur des feuilles vertes ou, spécialement en été, dans un bol de cristal qui est placé dans un autre bol de cristal plus grand rempli de cubes de glace. On met une fleur fraîche sur la glace, une fleur assortie à la décoration !

— Essayez de servir les fraises fraîches avec quelques branches de menthe fraîche.

— Un des desserts les plus élégants est le service de fraises fraîches (servies sur quelques feuilles de laitue fraîche) avec des "petits suisses", du pain français ou des craquelins non salés et un verre de champagne demi-sec. Servez du sucre dans une sucrière.

— Le vin, le fromage et les fruits sont une des combinaisons les plus anciennes et les plus sophistiquées pour terminer un repas élégant. Le porto est un vin parfait.

— Un avocat sur glace comme dessert ? Oui, et c'est très simple :

1/2 tasse de sucre brun
1/2 tasse de rhum brun — bien mélanger
(pour 6 demi-avocats)

1/2 tasse de sucre blanc
1/2 tasse de rhum blanc
1 c. à thé de citron — bien mélanger
(pour 6 demi-avocats)

— Purée aux fruits : au "blender", mélangez les bananes, ananas, fraises (dans les proportions voulues) ; ajoutez de la crème 35 p. cent (ou crème sure si vous préférez) et de la glace pilée. Laissez au congélateur jusqu'à ce que la purée soit ferme. Servez avec des branches de menthe fraîche, ou avec un peu de kirsch.

— Pourquoi ne pas vider une pastèque, décorée et remplie d'une salade de fruits ? Très "théâtral" pour un grand buffet en plein air.

— Servez les sorbets (citron, orange et limette) dans les mêmes fruits vidés et arrosez avec un peu de Sabra, une liqueur à base d'orange et de chocolat, et remettez le "chapeau" du fruit. Le tout servi sur des feuilles vertes avec des branches de menthe fraîche ou quelques fleurs et un biscuit.

— Un mélange de fruits frais est toujours plus joyeux si on l'arrose avec un peu de kirsch ou de Grand Marnier.

— Les "cocktails de fruits" sont délicieux si on mélange un peu de jus de citron, du sucre brun et de la cannelle avec les fruits.

— Les beignets aux bananes sont délicieux. Les tranches de banane sont plongées dans une pâte aromatisée d'une liqueur de bananes et frites pendant 2 minutes.

— Un mélange de différentes boules de melon, un peu de sucre et de la crème de menthe dans les demi-melons vidés, refroidis pendant quelques heures avant de servir. (Garniture : les branches de menthe fraîche.)

— Les "poires sous la neige" sont une idée pour un dessert spectaculaire et facile. On fait cuire des poires épluchées dans un peu d'eau sucrée et aromatisée de rhum. Placez les fruits tendres (mais pas mous) sur un compotier ou un plat profond. Coulez la crème anglaise autour des fruits et saupoudrez généreusement de noix de coco râpée. (La crème anglaise peut être aromatisée au rhum ou à la vanille.)

— Les raisins glacés sont très jolis comme garniture ou pour une réception élégante, par exemple. Le blanc d'oeuf est fouetté en écume et brossé sur les raisins bleus, et le tout couvert de sucre blanc. Séchez et refroidissez.

— La fondue au chocolat est un dessert où les invités participent au plaisir. Elle est présentée comme toute autre fondue et on utilise les mêmes fourchettes à fondue. Au lieu du pain, pour plonger dans la fondue, on prend :

des gâteaux secs, des biscuits en morceaux, des guimauves, des biscuits boudoirs
et
des raisins, des tranches d'orange, des fraises, des tranches de banane, des morceaux d'ananas, des morceaux de pomme, etc.

Une recette facile pour la fondue au chocolat :

3 tablettes de chocolat au lait — 3 onces chacune
1/2 tasse de crème 35 p. cent

2 c. à table de kirsch (brandy ou Cointreau)

Le chocolat est cassé en morceaux. Mélangez avec les ingrédients et réchauffez lentement en remuant constamment.

Essayez le chocolat au lait avec amandes.

— Préparez la crème fouettée à l'avance sans le risque de séparation :

mettez le bol avec la crème à fouetter dans un autre bol plus grand et rempli de glace et fouettez
ou
réfrigérez le bol et le batteur au moins 30 minutes avant de fouetter la crème.

Pour un résultat certain, utilisez la crème 35 p. cent achetée un ou deux jours à l'avance et bien refroidie.

— Mettez 1 à 2 onces de brandy dans la crème fouettée pour accompagner les desserts aux fruits.

— Un peu de café instantané ou de cacao en poudre donne un arôme différent à la crème fouettée.

— Les babas au rhum peuvent être accompagnés de crème fouettée aromatisée avec 1 à 2 onces de rhum (ou un porto si le dessert est parfumé au porto).

— Pour accélérer le procédé de fouetter la crème, ajoutez quelques gouttes de citron.

— Au lieu du sucre, essayez le sirop de maïs (moins de risque de séparation !).

— Pour déterminer si les blancs d'oeufs sont bien fouettés, renversez le bol. S'ils ne glissent pas, ils sont prêts à être utilisés.

— La vanille est le fruit du vanillier (orchidée) : gousse très allongée qui, séchée, devient noire et aromatique. Un peu de vanille dans une crème fouettée ou autres desserts est très agréable.

— Pour faire une vanille superbe, on coupe plusieurs gousses de vanille en longueur et on mélange avec du sucre (approximativement 4 à 5 gousses de vanille pour 2 tasses de sucre) ; gardez dans un bocal bien fermé. Laissez reposer au moins une semaine avant d'utiliser. On rajoute du sucre au fur et à mesure qu'on l'a utilisée. Occasionnellement, mettre de nouvelles gousses. (La vanille sucrée remplace le sucre dans votre recette.)

ou :

4 à 5 gousses de vanille pour 2 tasses de rhum brun ou cognac (brandy) ; mettez dans une bouteille, fermez bien. Laissez reposer au moins une semaine avant d'utiliser. Rajoutez du rhum au cognac si nécessaire et mettez de la nouvelle vanille occasionnellement. (L'extrait est à utiliser comme celui qu'on achète.)

— Les tranches d'orange avec un peu de sucre brun et du rhum (aussi comme "flambé").

— Pour une variation, mettez des rondelles de banane bien réfrigérées dans un pouding au chocolat et garnissez avec des rondelles de banane et des amandes hachées.

— Un peu de cannelle est toujours appréciée dans les poudings au chocolat ou à la vanille.

Mélanger quelques raisins secs et amandes hachées dans un pouding au riz
ou
des petits morceaux de pomme crue et des raisins secs
ou
des fraises
ou
des amandes

— Mélangez la cannelle en poudre avec du sucre (2 c. à thé de cannelle pour une tasse de sucre). Mettez du beurre non salé fondu sur le pouding au riz et saupoudrez avec le mélange cannelle/sucre.

— Pour éviter une peau sur les poudings, recouvrez avec une feuille de plastique pendant qu'ils refroidissent
ou
saupoudrez avec un peu de sucre immédiatement après l'avoir versé dans les moules.

— Avant de couper un gâteau ou une tarte, trempez le couteau dans l'eau. Le gâteau ne collera pas sur le couteau et se coupera plus facilement.

— La crème glacée à la vanille peut être variée très facilement :

  — versez une sauce au chocolat chaude sur la crème glacée

— chauffez du sirop de maïs avec du rhum et versez chaud sur la crème glacée

— versez un peu de café chaud et fort sur la crème glacée

— mélangez la sauce au chocolat froide avec du Cointreau et versez sur la crème glacée.

— Les raisins secs, les noix et les fruits ne tombent pas au fond d'un gâteau quand on les roule dans la farine avant de les mettre dans la pâte.

— Si vous comptez les calories :

— au lieu de la crème fouettée, mélangez les rondelles de banane avec le blanc d'oeuf et battez au "blender".

Les salades

— Une des "salades" les plus rafraîchissantes — et des plus faciles —, surtout en été, est la présentation d'une tranche de gélatine aux fruits sur un lit de laitue. La décoration la plus jolie pour ce "plat" très simple est de mettre une assiette de cristal sur un bol de cristal rempli de cubes de glace, et une fleur placée sur la glace. Sur l'assiette sont présentées la laitue et la tranche de gélatine aux fruits (cherchez une fleur assortie à la couleur de votre gélatine, ou une fleur toute blanche).

— Du jus de citron frais au lieu du vinaigre.

— Yogourt au lieu de la mayonnaise.

– Une bonne salade d'hiver est faite avec du thon et du pamplemousse, servis sur un lit de laitue.

– La salade "servez-vous à volonté" pour buffets. Les différents légumes : tomates, champignons, etc., sont tranchés et joliment arrangés (sur une planche si on le veut) et les différentes sauces à salade sont placées autour. Les invités se servent eux-mêmes.

– "Salade capucine" – une salade spectaculaire pour buffets, Bar-B-Q, pique-niques, etc. : haricots verts et asperges cuites (encore un peu fermes). Des rondelles de concombre avec pelure, choux-fleurs en petits bouquets. Hachez le cerfeuil, l'estragon, le cresson et l'oignon très fin. Une sauce vinaigrette.

Une présentation très jolie : mettez de la laitue dans un bol de cristal décoré avec des rondelles de concombre (on les voit à travers le cristal) et remplissez avec le mélange de légumes macéré dans la vinaigrette. Ornez le tout avec quelques radis parés et des fleurs de capucine ; accompagnez de mayonnaise.

– La salade "Boston", croûtons et anchois (Assurez-vous que vos invités aiment les anchois !). La salade Boston est coupée en tranches très fines ; ajoutez les croûtons grillés, garnissez de filets d'anchois et arrosez d'une sauce à base d'huile d'olive et de jus de citron. Quelques tranches de citron et quelques branches de persil complètent le petit plat d'entrée.

– Les "verdures" que l'on trouve facilement au marché :

– la laitue Boston

— la laitue Bib
— la laitue Butterhead
— le cresson
— la chicorée
— la laitue en feuilles (qui sont un peu chiffonnées sur les bords)
— la laitue Iceberg
— la laitue romaine

On mélange différentes laitues avec du persil et des épinards pour une couleur plus attrayante, pour une saveur plus déterminée et une texture plus intéressante.

— Salade pour buffet : SALADE CAMARQUAISE

pour 6 à 8 personnes :

400 g de riz long grain
1 concombre
1 poivron vert
6 tomates bien fermes
125 g d'olives noires
1/2 boîte de poivrons rouges au naturel
2 oignons
1 gousse d'ail
3 c. à soupe de câpres
4 c. à soupe d'huile
1 c. à soupe de vinaigre
3 c. à soupe de mayonnaise
1 petite boîte d'anchois à l'huile
2 petites boîtes de thon à l'huile

Faites cuire le riz à l'eau bouillante salée. Faites-le bien égoutter.

Prélevez sur le concombre 12 rondelles très fines pour la décoration ; coupez le reste en petits dés.

Coupez également en très petits dés 4 tomates, le poivron vert ; 4. c. à soupe de poivron rouge au naturel.

Hachez l'oignon et coupez l'ail finement.

Mélangez tous ces éléments avec les câpres, la moitié des olives et les filets d'anchois hachés fin.

Arrosez avec l'huile et le vinaigre, poivrez. Laissez macérer 30 minutes.

Dressez dans le plat de service sur feuilles de laitue après avoir ajouté la mayonnaise.

Décorez avec les rondelles de concombre, le reste des olives et quelques morceaux de poivron rouge. Cernez le plat avec des quartiers de tomate alternant avec des quarts de boîte de thon.

— Une salade doit toujours être croquante.

— Oui, elle peut être préparée à l'avance :

bien laver les feuilles à l'eau froide, bien assécher avec une essoreuse à salade (ou avec une serviette de cuisine). Si les feuilles ne sont pas sèches, l'eau dilue la sauce à salade. Enveloppez les feuilles dans une serviette, mettez un sac de plastique et gardez au réfrigérateur.

— Les sauces à salade peuvent être préparées une journée à l'avance ; les oignons et le persil (si on les utilise dans la sauce) sont ajoutés juste avant de servir.

— Salade verte : les asperges vertes cuites, les fonds d'artichauts cuits, les avocats, les feuilles de cresson et les branches de cerfeuil entières bien disposés dans un saladier en cristal, arrosez avec la vinaigrette et décorez de radis ; une salade fraîche et appétissante.

L'oeuf

L'oeuf a toujours été, même chez les anciens, le symbole de la fertilité. Il a eu une signification religieuse en rapport avec la naissance et la renaissance. Les oeufs décorés font partie de la célébration de Pâques depuis le XVIe siècle, mais l'oeuf décoré fait partie des coutumes ukrainiennes depuis plusieurs milliers d'années avant J.-C.

A Paris, au Moyen Age, le cortège des oeufs de Pâques était un événement grandiose, puisque les oeufs étaient interdits pendant le carême.

Le grand orfèvre Fabergé (1846-1920) dessinait les oeufs en formes élaborées et fantastiques. Le premier "oeuf de Pâques" fut fabriqué en 1884 pour le tsar Alexandre III comme cadeau pour la tsarine.

Parmentier donnait ce conseil en 1806 : on peut employer le bain d'eau salée pour déterminer si l'oeuf est frais. L'oeuf frais tombe au fond, celui qui ne l'est pas se met à flotter.

Le *Larousse ménager* parle d'une méthode pour teinter les oeufs avec une "matière colorante inoffensive". Cette même méthode fut employée dans mon enfance avec un résultat étonnant. On met les oeufs dans l'eau bouillante contenant :

rouge : suc de betterave, pelures d'oignons
jaune : safran
vert : suc d'épinard
bleu : tournesol, oseille
violet : fleurs de violettes

Après, on frotte les oeufs avec une couenne de lard pour les faire briller. La méthode traditionnelle ukrainienne et polonaise est très compliquée. On fabrique des vraies oeuvres d'art.

— Pour faire une décoration de table très amusante et différente, collez des lentilles sèches, des haricots, des pois verts ou jaunes sur des oeufs durs. Pourquoi ne pas les arranger sur un lit d'herbes sèches ou fraîches dans une corbeille en osier ?

— Les oeufs durs proprement faits : couvrez les oeufs avec l'eau froide, amenez à ébullition, mettez le couvercle et faites cuire à feu doux pendant 15 minutes. Plongez les oeufs durs dans l'eau froide. Ceci empêche la formation d'un cercle noir autour du jaune d'oeuf. Aussi, l'oeuf sortira plus facilement de la coquille.

— Les oeufs durs peuvent être gardés frais après avoir été enlevés de leur coquille si on les place dans l'eau, à laquelle on ajoute un peu de soda.

— Ne jamais mettre les oeufs qui sortent du réfrigérateur dans l'eau bouillante. Laissez pendant une heure approximativement à la température de la pièce ; ceci les empêche de craquer.

— Si les oeufs craquent pendant la cuisson, ajoutez un peu

de vinaigre dans l'eau.

— On peut cuire un oeuf déjà craqué si on l'emballe dans un papier d'aluminium.

— Plongez le couteau à trancher les oeufs durs dans l'eau froide (comme pour gâteaux et tartes).

— Comment fouetter les blancs d'oeufs; voir : **Desserts.**

— Les "oeufs vénitiens" ne sont pas seulement un délice pour le connaisseur mais aussi un hors-d'oeuvre recherché si la décoration de la salle à manger et de la table a comme base des tons de brun/blanc/jaune. Si on s'assoit à une table où la décoration est vraiment recherchée jusqu'au dernier détail, on peut être certain des commentaires favorables des convives. (La bonne conversation est assurée.)

Préparez les oeufs mollets (le blanc dur, le jaune mou) en les faisant cuire 4 minutes, plongez dans l'eau froide et écaillez. Assaisonnez d'un peu de mayonnaise avec du jus de citron et du fromage parmesan râpé. Faites de la gelée de bouillon de boeuf avec de la gélatine, versez 1/4 de pouce d'épaisseur et réfrigérez.

Recouvrez entièrement les oeufs avec la gelée de bouillon, du poivre noir moulu frais en gros grains et versez la mayonnaise au citron et fromage. Accompagnez de craquelins bruns, le tout sur une assiette blanche sans aucune décoration ou une assiette brune sans décoration. Le succès est garanti !

— Essayez les oeufs de caille pour une entrée raffinée : tranchez des tomates et arrangez sur une grande assiette ; parsemez de demi-oeufs de caille refroidis et assaisonnez d'une vinaigrette ; décorez avec du persil.

— On peut servir des oeufs de caille avec des olives noires sur canapé ou farcies.

— Ils sont délicieux tranchés dans une soupe au poulet et saupoudrés d'un peu de paprika doux, une feuille de persil au centre.

— Les piments doux rouges en boîte ; égouttez et étendez sur un plat de service, ajoutez quelques anchois et recouvrez de tranches d'oeufs de caille. Marinez le tout d'une vinaigrette parfumée aux câpres, servez sur un lit de laitue et décorez de branches de persil.

— Les oeufs de caille en tranches sur des tranches de concombre avec une vinaigrette à base d'ail, d'aneth (fenouil) ou de marjolaine. Le tout servi sur un lit de laitue, décoré de quelques fleurs ou de persil.

— Ici, une recette très intéressante pour plat de "brunch"

OEUFS BROUILLES AUX GIROLLES

Préparation : 20 minutes
Cuisson des girolles : 30 minutes
Cuisson des oeufs : 30 minutes
(Pour 9 personnes)

9 oeufs
250 g de girolles

100 g de beurre
1 c. à soupe de crème 35 p. cent
1 c. à soupe de persil haché
sel, poivre

Coupez le bout terreux des champignons, lavez-les rapidement dans plusieurs eaux pour les débarrasser de leur sable. Epongez-les.

Mettez-les à la poêle avec le tiers du beurre. Faites rapidement évaporer leur eau en remuant souvent.

Lorsqu'il ne reste plus que le beurre dans la poêle, salez, poivrez. Baissez le feu, faites rissoler doucement sans laisser sécher.

Versez les oeufs dans une casserole à fond épais où le reste du beurre est juste fondu, salez, poivrez, agitez au fouet sur feu très modéré jusqu'à ce que les oeufs deviennent une crème qui épaissit.

Ajoutez la crème et continuez à remuer à la cuillère en bois jusqu'à consistance de crème épaisse en veillant à ce que le fond ne colle pas. Les oeufs sont à point lorsqu'ils ne s'étalent pas en tombant de la cuillère.

Versez-les dans le plat de service et, au milieu, ajoutez les girolles saupoudrées de persil finement haché. Ne mélangez qu'au moment de servir. Servez avec du pain grillé et un vin blanc sec.

L'avocat

L'avocat nourrit le corps humain, aussi bien l'intérieur que l'extérieur. Les anciennes civilisations des Mayas, des Aztèques et des Incas connaissaient l'avocat comme produit de beauté. Les dames l'utilisaient pour embellir leur peau et leurs cheveux. Même aujourd'hui, on utilise (surtout au Mexique et en Amérique du Sud) une formule très efficace préparée avec de la pulpe d'avocat et de l'huile d'olive comme masque facial. On dit qu'on ne gaspille rien de l'avocat et qu'on peut l'utiliser entièrement. La peau, par exemple, produit à l'intérieur une humidité qui protège l'épiderme sous le maquillage.

L'avocat contient au moins 8 vitamines essentielles et 5 minéraux en plus de la protéine qui n'est pas trouvée habituellement dans les fruits.

L'avocat est sensuel, sa texture est douce et son parfum est délicat, et il a un peu le goût de la noix. Du point de vue nutrition, un demi-avocat (8 onces) suffit pour un lunch.

L'avocat nous sert pour des plats délicieux et décoratifs.

– L'avocat doit toujours être présenté d'une façon spectaculaire s'il est servi en moitié et farci : sur glace avec des fleurs ; sur feuilles de laitue avec petites tomates et persil.

– Si servi en tranches, je conseille de placer ces tranches sur des feuilles de laitue romaine et de garnir avec des petites tomates, du persil ou une fleur.

— L'avocat farci avec de la crème sure et un peu de caviar (noir et frais ; essayez le caviar canadien !).

— Les tranches d'avocat farci avec du crabe à la sauce Louis et garnies de noix (sauce Louis : composée de mayonnaise, crème 35 p. cent, jus de citron, sauce chili, oignons verts hachés fin).

— Tranches d'avocat avec truffes noires, poivre noir (moulu frais), les "grissini" (bâtonnets de pain italiens) et une sauce composée d'huile d'olive, citron et sel.

— Un hors-d'oeuvre intéressant : des boules d'avocat en "prosciutto" (jambon italien finement coupé) sur bâtonnets de bois (ou cure-dents) avec une sauce à la crème-citron-vinaigrette de vin rouge.

— Avocat au "blender" avec vodka, sel, poivre, sauce Tabasco et jus de citron : servi dans des verres de 8 onces sur glace. (Délicieux en été.)

— Des oeufs brouillés avec des petits morceaux d'avocat.

— Une omelette "Californie" est faite avec quelques tranches fines d'avocat.

— A la Guadeloupe, on mange un plat "féroce". La pulpe d'avocat est mélangée avec de la morue salée et cuite en petits morceaux, sel, poivre, vinaigre, huile, ail et poudre de chili. Servir sur pain français frais ou comme "dip" avec chips.

— La soupe à l'avocat froide au "blender" avec un peu de consommé de poulet. Ajoutez de la crème sure et de la crème 35 p. cent ; selon le goût, assaisonnez avec du citron, sel, poivre et oignons verts tranchés fin.

— Tranches de pamplemousse et d'avocat sur la laitue avec une vinaigrette française.

— Tranches d'avocat et champignons (crus) ou coeurs de palmier avec vinaigrette.

— La duchesse de Windsor a une recette favorite : un demi-avocat farci avec un mélange de rhum blanc, du sucre blanc en poudre et un peu de jus de citron ; décorez avec des feuilles de menthe fraîches.

— Avocat - dessert - boisson : au "blender", mélangez avocat, crème 35 p. cent, vodka, liqueur Galliano, sucre, vanille (faite à la maison), ou rhum ou brandy ; servir sur glace dans des coupes à champagne avec des biscuits boudoirs.

— Toujours arroser les côtés coupés avec du citron pour empêcher l'avocat de noircir.

— Au "blender" : avocat en pulpe, jus de citron, sel, origan et sauce Tabasco comme "dip" avec des chips.

La pomme de terre

La pomme de terre fut découverte en 1534 dans les Andes. Les Espagnols payaient des sommes astronomiques pour les pommes de terre, parce qu'on croyait qu'elles aidaient la virilité. Elle fut exportée en Italie et plus tard en Belgique comme nourriture ; dans les autres parties de l'Europe, on cultiva la plante de la pomme de terre pour sa fleur. Pendant la deuxième partie du XVIe siècle, la pomme de terre fut connue en Angleterre, où on mangea – par erreur – les feuilles et les tiges de la plante. La France fut le dernier pays d'Europe qui adopta la pomme de terre. Antoine Parmentier, un apothicaire, donna un bouquet de fleurs de pomme de terre à Louis XVI pour son anniversaire ; Marie-Antoinette en mettait une sur sa robe comme corsage, et bientôt après, la pomme de terre trouva sa place dans les cuisines des grandes maisons et restaurants chic. La terminologie culinaire "parmentier" d'aujourd'hui veut dire : préparé ou servi avec les pommes de terre.

– La patate ("sweet potato") est originaire du Mexique et du Pérou.

– En temps de guerre et de famine, la pomme de terre a nourri des populations entières. Elle a plus de vitamine B1 qu'aucune autre nourriture, plus de vitamine C (niacine et fer). Elle a des glucides (hydrates de carbone) essentiels pour nourrir le cerveau, le coeur, les poumons et les muscles. Dix pour cent des calories de la pomme de terre sont de haute qualité protéique ; et elle donne de la vitamine B6, du phosphore et du calcium. Elle est presque sans matière grasse et elle est facile à digérer.

– Nous avons 5 façons populaires de la préparer :

  – pomme de terre au four (une pomme de terre moyenne contient 90 calories)
  – cuite sans pelure (80 calories)
  – cuite avec pelure (105 calories)
  – en purée, avec lait (1/2 tasse : 63 calories)
  – en purée, avec lait et beurre (1/2 tasse : 93 calories)

— Préparation de la pomme de terre "nouvelle" : lavez bien, laissez la pelure, faites cuire avec des graines de carvi dans l'eau salée. Servez avec les graines de carvi, beurre et persil.

— Les crêpes de pommes de terre qu'on connaît beaucoup en Europe sont faites de pommes de terre crues râpées mélangées avec de la farine, des oeufs, du sel et des oignons. Faites frire à l'huile dans une poêle. Servez très chaud avec de la marmelade, des pommes et des canneberges.

— Parsemez les pommes de terre au four de fromage râpé et retournez au four jusqu'à ce qu'elles soient brunies.

— Mélangez des morceaux de bacon croustillant, de la crème sure, de la ciboulette. Délicieux avec pommes de terre au four.

— Pommes de terre en robe des champs cuites aux graines de carvi, crème sure, persil et oignons hachés, servies avec du caviar noir et frais.

— Les frites sont plus croustillantes si on les laisse dans l'eau froide pendant 30 minutes avant la cuisson.

— Si les pommes de terre sont trop salées, ajoutez un peu de sucre.

— Pour éviter les blessures aux mains si on râpe les pommes de terre, on les tient avec une fourchette.

— La salade de pommes de terre chaude est délicieuse pour la saison froide. Mélangez les pommes de terre chaudes avec des tranches de bacon croustillant, de la mayonnaise et des oeufs durs.

L'oignon

L'oignon, le meilleur ami des chefs de cuisine, a toujours connu une grande popularité.

Les oignons furent cultivés 3 500 ans avant J.-C. et ils étaient donnés en salaire aux ouvriers égyptiens qui construisaient les pyramides. Les Grecs et les Romains mangeaient les oignons crus, secs, en conserve et cuits. A travers l'histoire ancienne et moderne, on parle de l'oignon comme d'un aliment important et, longtemps, l'oignon fut — comme le lard — l'aliment de base des cuisines pauvres.

Le plat des Vieilles Halles à Paris, la fameuse soupe à l'oignon, fut en réalité un très vieux plat parisien qui est presque historique. Dans *l'Art de la cuisine* par Henri de Toulouse-Lautrec et Maurice Joyant, on trouve une excellente soupe à l'oignon ainsi qu'une soupe à l'oignon et à l'ail. Lautrec (1864-1901) aimait — en plus de son grand art — les plaisirs de la bonne table, l'apparence d'une table merveilleusement décorée et l'amitié de la conversation. Les menus étaient décorés avec des croquis (on les retrouve dans les musées). Pour lui, un bon menu était "une création artistique, comme écrire un poème ou danser un ballet".

— Les oignons aromatisés avec lentilles : marinez les tranches d'oignon rouge à l'huile et au jus de citron pendant 24 heures, égouttez et arrangez avec les lentilles dans une vinaigrette et du poivre noir frais moulu. Servez avec des biscottes.

— Les oignons "en robe des champs" sont préparés de la même façon que les pommes de terre au four (1 1/2 heure !) Servez avec sel et beurre.

– L'antidote naturel contre l'haleine d'oignon est le persil.

– Pour enlever l'odeur d'oignon d'une planche de bois : frottez avec une tranche de citron ou (mieux) de limette.

– Pour enlever l'odeur d'oignon d'un couteau : passez-le au travers d'une pomme de terre crue.

– Une poêle peut être rinsée avec du vinaigre pour enlever l'odeur d'oignon.

– Lavez-vous les mains avec du vinaigre ou un peu de beurre, et après, lavez avec du savon ; l'odeur d'oignon s'enlève plus facilement (savon désodorisant !).

– Même chose avec du citron ou de la limette.

– Coupez les oignons sous l'eau ou à la fenêtre ouverte pour diminuer les larmes.

– Les "oignons verts en robe" : enveloppez d'une tranche de salami tartinée d'un mélange fromage-ciboulette ; délicieux pour un buffet.

Le citron

Les citrons sont beaucoup utilisés dans la cuisine, surtout pour la préparation des poissons et des sauces. Ils donnent un parfum frais et délicat aux douceurs et pâtisseries. Les citrons sont aussi très rafraîchissants pour les boissons et occupent une place importante dans la préparation des cocktails et des punchs.

Le citronnier fut déjà cultivé en Grèce et plus tard en Italie. Dans l'antiquité, on utilisait le citron comme antidote. On le trouve dans la composition des médicaments.

— Le citron donne plus de jus si on le presse légèrement de la main en le roulant sur une surface dure, ou si on l'arrose d'eau très chaude pendant quelques minutes avant d'en extraire le jus.

— Pour conserver un citron longtemps au réfrigérateur : piquez un bâtonnet de bois (ou cure-dent), pressez le jus désiré et reboucher avec le bâtonnet.

— Pour extraire le jus d'un demi-citron, on le pique avec une fourchette et on tourne.

— La mayonnaise au jus de citron est plus raffinée.

— Le sucre-citron : mélangez 4 c. à café de zeste de citron avec 1/2 tasse de sucre en poudre. Délicieux pour aromatiser.

— Présentez des petits hors-d'oeuvre dans des demi-citrons, vidés et nettoyés.

— Seulement la partie jaune de l'écorce donne la saveur, la partie blanche est amère.

— La coquille d'un citron pressé peut être congelée et râpée au besoin.

La grenade

La grenade, ou en latin ''Punica granata'', fut importée par les Romains de leur province Punica. Elle est originaire de la Perse. Dans l'antiquité, elle fut regardée comme un symbole de fertilité, d'abondance et de vie.

Les pépins séchés furent mangés déjà il y a 4 000 ans passés. On utilisait les racines pour la préparation des médicaments. Les Maures firent connaître la grenade en Espagne. Elle est l'emblème de Grenade.

Une ancienne superstition dit que chaque grenade a exactement 613 pépins (''granata'' : beaucoup de pépins : 613).

Le jus est connu sous le nom de grenadine ; le jus est sans alcool. 100 grammes de pépins de grenade contiennent 77 calories.

— Les grenades au kirsch, servies très froides.

— La demi-poire aux grenades sur des feuilles de vigne et arrosée de kirsch.

— Une salade grenade, orange, ananas avec crème fouettée.

— Les mangues, grenades et rhum servies sur glace, décorées d'une rose.

— Les papayes, grenades et Grand Marnier, servies sur glace, décorées de fleurs.

— Le melon au kirsch, farci de grenades.

— Les boules de melon mélangées avec grenade et "prosciutto" (jambon italien) comme hors-d'oeuvre.

La tomate

La cuisine espagnole et italienne sans la tomate ? Les salades d'été et les hors-d'oeuvre sans la tomate ? Impossible !
Mais elle a trouvé sa place dans la cuisine très tard. On la considéra longtemps comme un poison, car la tomate appartient à la famille des solanacées (morelles).

Les Espagnols furent les premiers à importer la tomate du Mexique et du Pérou, et de là, elle trouva son chemin vers les tables parisiennes.

La tomate ou "pomme d'amour" fut acceptée en Amérique du Nord à la fin du XIXe siècle seulement et il faudra encore quelque temps avant qu'on ose la consommer crue.

— La tomate donne toujours une touche de couleur à un plat uni.

— Les tranches de tomate au brandy : 1/2 tasse d'huile d'olive, 3 c. à table de brandy, basilic, sel et poivre noir moulu ; un hors-d'oeuvre raffiné et différent.

— Une soupe froide pour un repas en plein air en été : mélangez au "blender" des tomates épluchées et sans pépins avec de la crème 35 p. cent. Assaisonnez au goût. Servez avec ciboulettes hachées.

— La salade aux tomates à la menthe fraîche : pour 3 grosses tomates, ajoutez 2 c. à table de menthe hachée, du jus de citron, de l'huile, du sel et du poivre au goût. Servez sur une assiette en cristal entourée de feuilles de menthe.

— Salade aux tomates à la marjolaine et vinaigrette.

— Pour le Bar-B-Q : faites cuire les tomates dans la cendre (comme les pommes de terre au four). Servez avec du basilic.

— Les tomates et le cresson mélangés avec sauce vinaigrette.

— Un peu de sucre ou miel (oui !) sur les tomates au lieu du sel.

— Les tomates farcies au fromage cheddar au four.

— Les tomates cuites avec sauce hollandaise.

— Pour éplucher, mettez la tomate dans l'eau chaude quelques instants, et après dans l'eau froide.

— Les tomates crues ne restent pas croustillantes quand elles ont été congelées.

Quelques légumes

Les légumes étaient beaucoup plus importants dans l'antiquité qu'aujourd'hui. Les Grecs et les Romains mangeaient les légumes frais, séchés, fumés, marinés et conservés sous toutes les formes. L'ail et l'oignon furent consommés également par les riches et les pauvres, mais les asperges, par exemple, un légume qui a toujours été fin et recherché, étaient limitées aux riches seulement. Evidemment, on ne connaissait pas toutes les variétés de légumes que nous avons aujourd'hui, car beaucoup de ces légumes furent importés en Europe après la découverte de l'Amérique. A Rome, au premier siècle avant J.-C., Apicius, l'auteur d'un livre d'art culinaire, donne une grande importance à la préparation des légumes.

Au Moyen Age, les Espagnols ont déjà créé des plats de légumes sophistiqués. De là, les légumes trouvèrent leur place dans les cuisines de France, de Hollande et plus tard d'Angleterre. Les idées très avancées de Catherine de Médicis qui, à son mariage avec le Dauphin de France, apporta sa cuisine complète de l'Italie, son pays natal, avec serviteurs, casseroles, plats, ustensiles de table, etc., sont responsables d'un grand raffinement dans la préparation de certains plats. On commençait à faire des "jardins de cuisine", qui ressemblaient beaucoup aux petits coins "jardins de fines herbes" que nous trouvons aujourd'hui partout, même sur les balcons en ville.

Au début du XIXe siècle, on considérait les légumes comme un aliment qui pouvait remplacer la viande, mais aujourd'hui, depuis qu'on connaît leur valeur nutritive, leur richesse en vitamines et en minéraux essentiels, on les considère plutôt comme un aliment devant accompagner la viande afin d'assurer un équilibre alimentaire.

L'artichaut

- Les coeurs d'artichauts crus avec sel sont mangés dans les pays méditerranéens.

- Achetez les artichauts avec feuilles vertes sans taches brunes ou noires. Les bases devraient être fermes et les feuilles serrées.

— Les fonds d'artichauts froids au fromage : mélangez du roquefort avec de la crème 35 p. cent jusqu'à ce qu'il forme une crème épaisse. Ajoutez un peu de jus de citron, sel, poivre noir moulu ; farcissez les coeurs d'artichauts cuits et garnissez avec de la laitue et des tomates.

— Les artichauts à l'huile et à l'ail par Toulouse-Lautrec et Maurice Joyant : coupez en quatre morceaux, faites cuire à l'huile d'olive jusqu'à ce que les feuilles aient bruni. Salez, couvrez avec le couvercle et laissez cuire très lentement sur un feu doux pendant 1 1/2 heure. Cinq minutes avant de servir, ajoutez de l'ail en morceaux, du persil haché et du poivre noir (généreusement). Servez avec la sauce demeurée au fond de la casserole; c'est délicieux !

L'asperge

— Depuis à peu près 4 siècles avant J.-C., dans les années où Théophraste écrivait son livre sur les plantes, on a connu l'asperge sauvage, et un siècle plus tard l'asperge fut cultivée à Rome, où les très riches seulement pouvaient se permettre de la manger. Mais les asperges cultivées ont exercé une grande fascination dans la fine cuisine depuis Louis XIV. Pendant très longtemps, les asperges furent complètement oubliées. Aujourd'hui, il y a approximativement 50 variétés d'asperges différentes. En Europe, on connaît surtout l'asperge blanche.

— Les grands connaisseurs de l'asperge blanche ne voient rien d'autre avec ce légume royal qu'un peu de beurre non salé fondu, du jambon et des pommes de terre nouvelles ; champagne.

– Asperges blanches, sauce hollandaise ; vin blanc du Rhin.

– Asperges vertes, beurre non salé fondu, une pincée de muscade moulue.

– Asperges vertes, sauce hollandaise avec une pincée de muscade moulue.

– Asperges vertes à l'aneth frais, huile d'olive, jus de citron, sel et poivre noir moulu ; servies sur des feuilles de laitue romaine.

– Toujours ouvrir une boîte d'asperges par le bas. Les têtes d'asperges sont fragiles et cassent facilement.

Le chou

Le chou est un des plus vieux légumes connus. Les Egyptiens, les Grecs et les Romains l'appréciaient beaucoup et, depuis l'antiquité, le chou a toujours dominé la table. Pythagore, Diogène et Eupolis (pour n'en nommer que quelques-uns) parlent du chou en termes élogieux et Apicius donne plusieurs recettes dans le premier livre gastronomique connu. Théophraste, dans son livre sur les plantes, rapporte trois différentes variétés de choux. Une de ces variétés, le chou sauvage (appelé aussi "chou de la mer"), fut beaucoup consommé dans les pays situés au bord de la Méditerrannée. Les Romains considéraient le chou comme un aliment épicurien, et il se trouvait sur les menus des banquets. Même les Egyptiens utilisaient le chou, apprêté de diverses façons, comme hors-d'oeuvre dans leurs banquets. Le chou-fleur vint en France vers le XVIIe siècle. Il fut préparé dans les cuisines de la cour de Louis XIV, dans un bouillon aromatisé et rehaussé de beurre frais. Il était un délice rare en France, mais déjà plus connu en Italie sous le nom de "cauli fiori".

En Allemagne, on mange souvent le chou-fleur avec une sauce hollandaise, ou, quand les choux-fleurs sont jeunes et frais, on les mange crus dans les salades ou avec une vinaigrette forte, comme des cornichons.

— Le chou de Bruxelles fut connu très tard, seulement vers le milieu du XIXe siècle.

— Le chou rouge, le chou vert et le chou blanc, surtout en choucroute, ont une grande renommée dans les pays européens. La choucroute au vin blanc ou au champagne ainsi que les grandes assiettes remplies de choucroute, de différents saucissons et viandes, et connues sous le nom de "Schlachtplatte" (assiette de boucher), ont une grande popularité en Europe.

— Le chou aux graines de carvi avec sauce béchamel.

— Le chou rouge au vin rouge et feuilles de laurier, mélangé avec pommes rouges et servi avec de la compote de pommes et des canneberges.

— Le brocoli avec une sauce béchamel et des petites crevettes.

— Les choux-fleurs avec une sauce hollandaise et un peu de muscade moulue.

— Une mayonnaise avec le chou-fleur cuit et refroidi : entourez avec des demi-oeufs durs et des petites tomates. Servez sur un lit de laitue verte. (A recommander pour un buffet avec jambon.)

– Couvrir les choux-fleurs crus avec des tranches de fromage cheddar, du beurre, des tranches de tomate, des tranches de bacon, et mettez au four pendant 20 minutes. Une casserole simple.

– Laissez toujours les choux tremper dans l'eau froide salée pendant une heure avant de cuisiner.

Ceci fait sortir les petits insectes.

La viande

Dans les temps préhistoriques, l'homme mangeait la viande des animaux sauvages. D'abord, la viande fut mangée crue et, seulement après la découverte du feu, l'homme commença à faire cuire les morceaux de viande ; enveloppée dans des feuilles, on jetait la viande dans le feu. Vers l'an 6000 avant J.-C., on commença à faire de la poterie. La viande, avec des raisins sauvages, des légumes sauvages, etc., fut alors cuisinée dans des casseroles suspendues sur le feu. Mais on continua de faire rôtir la viande directement sur le feu. Notre Bar-B-Q d'aujourd'hui est basé sur le même principe : nous enveloppons légumes, viandes, poissons, etc., dans du papier d'aluminium et nous jetons les pommes de terre dans la cendre.

Les animaux domestiques sont connus depuis approximativement 3 000 ans avant J.-C. La viande était la nourriture pour les riches en Egypte, en Grèce et à Rome, jusqu'à ce qu'on commence la vente de la viande sur le marché vers le IIIe siècle. A travers le Moyen Age, même les pauvres élevaient leurs poulets et porcs et on les vendait aux marchés des villes. La qualité de la viande était très mauvaise jusqu'au milieu du XIXe siècle, où les docteurs commencèrent à découvrir qu'on pouvait être très malade si l'on mangeait de la viande malade ou pourrie.

Dans l'antiquité, on élevait pour leur viande des animaux qui ne sont plus connus aujourd'hui, mais même maintenant on trouve la viande d'animaux étranges pour nous sur la table. Alexandre Dumas écrivait en 1869 quelque chose sur le kangourou et recommandait cet animal pour la cuisine des gourmets. Henri de Toulouse-Lautrec invita des gens à dîner avec ce même animal comme mets principal. Il avait vu dans un cirque un boxeur et un kangourou dans l'arène, ce qui lui avait donné l'idée de préparer ce repas de gourmet.

— Le pot-au-feu : servez du bouillon de boeuf avec du gros sel (ou le sel kosher), avec garniture de carottes, navets, petites pommes de terre, chou blanc, poireaux accompagnés de morceaux de boeuf.

— Le pot-au-feu servi "style buffet" peut aussi être accompagné de différents plats sur les réchauds : champignons farcis, oignons, tomates et aubergines farcies et tranches de pain français à l'ail.

— Un boeuf Stroganoff est fait "par excellence" si on mesure 1/2 tasse de sherry sec pour chaque 2 livres de surlonge.

— Le meilleur "Sauerbraten" est fait si la viande est marinée dans du vin rouge sec, avec des feuilles de laurier, des grains de poivre noir et des oignons en tranches, pendant au moins 2 semaines.

— Une tranche de jambon "Virginia" recouverte d'asperges et sauce hollandaise, et servie avec des pommes de terre nouvelles.

– "Hamburger gourmet" : mélangez 1 once de porto par livre de viande à hamburger, couvrez les hamburgers avec du roquefort et grillez. On ne sert pas de ketchup avec ce plat délicieux, mais des tomates farcies ou des petites tomates crues.

– Les côtelettes d'agneau au vin rouge : marinez la viande dans le vin rouge sec avec un peu d'ail et de persil hachés pendant une heure avant la cuisson ; délicieux !

– Les côtelettes d'agneau à l'orange : des tranches d'orange (ou de citron) sont ajoutées pendant les dernières minutes de la cuisson.

– Les meilleures épices pour l'agneau sont le thym, la menthe et le cumin moulu.

– Le Michoui d'agneau, très recherché dans les pays méditerranéens, est toujours accompagné de cumin moulu ; mélangez avec sel, haricots verts à l'ail, salade de cresson, pain arabe, et vin rouge ou thé à la menthe.

– Un bon gigot d'agneau devrait être arrosé très souvent pendant la cuisson avec un bon vin rouge sec.

– On fait des petites coupures dans la viande avant la cuisson et on y met des morceaux d'ail.

– Servez des demi-pêches farcies au "chutney" avec le gigot d'agneau.

– Les flageolets à l'ail et persil avec un peu de beurre et les pommes de terre nouvelles sont l'accompagnement traditionnel français pour le gigot d'agneau.

— Quelques suggestions pour le Bar-B-Q : pour une saveur spéciale, jetez un morceau d'ail dans le feu pendant les dernières minutes de la cuisson des steaks et de l'agneau ;

la pelure d'un citron ou d'une orange pour le porc et le jambon ;

romarin, feuilles de laurier ou thym pour la volaille.

— La viande en boîte de conserve sortira plus facilement si on place la boîte dans l'eau chaude quelques instants avant de l'ouvrir.

— Une livre de viande désossée peut donner 4 portions ; une livre avec l'os en donne seulement 2.

— Cuire la viande avec du vin rouge sec ajoute une saveur délicate ; avec du vin blanc sec, cela donne une saveur douce (sucrée).

— Le vin qui est utilisé pendant la cuisson des viandes s'évapore ; seulement la saveur reste ; donc, aucun danger pour les personnes qui ne boivent pas.

— Viande hachée, en morceaux — comme la viande pour les ragoûts —, le foie, les rognons et le ris de veau sont très périssables. On devrait utiliser ces viandes deux jours après leur achat.

— La viande congelée, une fois décongelée, doit toujours être cuisinée et non pas être recongelée.

Le fromage

Des découvertes récentes en Suisse donnent raison de croire que le fromage était préparé il y a déjà plus de 4 000 ans. Les découvertes consistent en des fragments de pots avec trous pour drainage, un peu comme ceux utilisés aujourd'hui. A Rome, on mangeait beaucoup d'olives, de figues et de fromage avec du pain, et le gâteau au fromage était une pâtisserie très appréciée des Grecs et des Romains.

Le fromage a été fait longtemps avant qu'on sache comment faire le beurre. On fabriquait le fromage du lait de différents mammifères. C'est seulement vers 200 ans avant J.-C. que le fromage de lait de vache devint le plus commun.

Homère, dans *l'Iliade* et dans *l'Odyssée*, parle de la fabrication du fromage de chèvre et du fromage de brebis; et d'autres auteurs parlent de fromage vert, fromage sec, fromage crémé, tranché, râpé et concassé.

Le roquefort du Sud de la France et le fromage de Chester de l'Angleterre furent connus avant l'Empire romain, qui s'étendait vers le Nord, et sont même aujourd'hui parmi les favoris. Le brie fut surnommé "le roi des fromages" par Talleyrand, le gorgonzola d'Italie est connu depuis environ le IXe siècle et le parmesan depuis le XIIIe siècle environ.

Le fromage a sa place assurée dans le repas français et gastronomique. Brillat-Savarin disait : "Un repas sans fromage est comme une belle à qui il manque un oeil." Notre très populaire dégustation de vins d'aujourd'hui est impensable sans fromage et sans fruits ; et le pique-nique idéal se fait avec pain frais et croustillant, fromage, fruits et une bonne bouteille de vin. James Beard, le père de la grande cuisine américaine, a dit : "La vraie hospitalité, c'est servir un repas simple, choisir un fromage et un vin parfaits et faire une conversation intéressante dans une ambiance chaleureuse et amicale."

– Une guirlande de pain pour votre brie. C'est une idée de décoration parfaite pour un buffet. Achetez une "couronne" faite de pain frais (ou faites votre propre couronne de pain) et mettez le brie au centre. On coupe des pointes comme dans une tarte. Servez un bon vin avec du raisin bleu et conversez.

– Servez le fromage avec du pain français croustillant ou des craquelins non salés.

– Les fromages qui contiennent le moins de matières grasses : type Edam, type Tilsit, qui viennent de la Scandinavie et qui sont faits de lait écrémé ; le "Swiss" norvégien "Jarlsberg".

– Il y a les fromages "Feta" et "Kasseri", qui sont fabriqués de lait de chèvre et de brebis. Le premier est très populaire en Grèce.

– Pour un buffet vin et fromage, "la boule surprise" : on découpe la partie supérieure d'un pain campagne comme un chapeau et on creuse la boule. Mélangez 1/2 camembert, un peu de Munster, 100 g de roquefort et quelques noix pilées. Mélangez avec une c. à table d'huile de noix comme crème. Ajoutez la mie de pain jusqu'à ce que vous ayez une crème ni trop liquide ni trop épaisse. Placez dans la boule, fermez avec son chapeau. Décorez avec des feuilles de vigne et des fruits autour. (Ceci est une recette de ma mère.)

– La boule de fromage "verte" : mélangez du fromage cottage avec crème sure, ajoutez des épinards froids et formez une boule.

– Mélangez le roquefort, le beurre et les pacanes hachées jusqu'à consistance crémeuse ; une autre variation pour un buffet.

– Mélangez un peu de fromage bleu avec de la crème sure jusqu'à ce que la masse soit bien crémeuse. Servez sur des feuilles de vigne avec des fraises fraîches (et champagne !).

– Chauffez le couteau dans l'eau chaude avant de couper ; le fromage ne s'émiette pas.

– Sortez les fromages du réfrigérateur au moins 1 heure avant de servir.

– Mettez du beurre sur le côté du fromage coupé. Le fromage ne sèche pas.

Quelques fruits

Les primitifs mangeaient des fruits sauvages, mais les Egyptiens cultivaient déjà les pommes, les figues, les dattes, les melons, les raisins et les grenades. Les Grecs et les Romains cultivaient aussi les poires, les pêches et les abricots. Mais le fruit préféré autour de la Méditerranée était la figue. L'Empire romain est responsable de la connaissance des fruits partout en Europe, jusqu'en Angleterre. Les Romains connaissaient la préservation des fruits à la perfection. Ils gardaient les raisins pendant des années et mangeaient les melons même hors saison. Sur les tables du Moyen Age, on voyait beaucoup de fruits séchés : noix, figues, raisins, poires, etc. Les fruits confits étaient très en vogue sur les tables des riches du XVIe siècle. Au début du XVIIIe siècle, la médecine trouvait un remède au scorbut dans les citrons et les limettes. Chaque bateau britannique devait, par la loi, transporter du jus de citron et de limette. (On appelait les matelots des "limeys"). Aux XVIe et XVIIe siècles, les vergers situés autour des grandes propriétés de campagne, où les différents fruits étaient cultivés, étaient très recherchés.

La datte

La datte est cultivée seulement dans les pays chauds. Elle est très connue en Afrique du Nord. La population du Sahara se nourrit presque à 50 p. cent de dattes. On les mange avec la soupe le matin, le pain et le thé à la menthe à midi, et le soir avec une sorte de ratatouille. On y trouve beaucoup de variétés de dattes, et des dégustateurs, comme on trouve des dégustateurs de fromage en Hollande ; Napoléon Bonaparte, dit-on, a pris le goût des dattes en Egypte et il s'en fit servir souvent.

- Les dattes, comme elles sont préparées en Afrique du Nord, sont un délice : remplacez le noyau avec un peu de beurre ou de chocolat et enveloppez le tout dans le massepain. Remplacez le noyau avec une amande, trempez le tout dans un fondant de chocolat et saupoudrez de noix de coco râpée.

La figue

La figue symbolisait pour les anciens la douceur. Elle était si importante qu'il existait une loi en Grèce qui interdisait son exportation. Il y avait un marché noir et des trafiquants de figues. Athénée, rhéteur et grammairien, parle d'un "détective de figues". Les Romains sont reconnus pour avoir fait du vin à partir des figues et pour les avoir utilisées pour farcir les volailles.

En Afrique du Nord, j'avais des figuiers dans mon jardin. A mon avis, rien n'est plus merveilleux pour terminer un repas que quelques figues fraîchement cueillies — noires ou blanches — servies sur glace, accompagnées d'un champagne semi-doux. Attention, les feuilles ont des bords coupants comme des lames de rasoir !

— Comme hors-d'oeuvre, présentez des figues fraîches avec du "prosciutto".

— Les figues sèches dans les gâteaux aux fruits.

Le raisin

Le *Larousse ménager* dit : "De belles grappes de raisin, dans une jolie coupe, sont la parure du dessert..." Déjà, il y a 4 000 ans, on connaissait les raisins et on faisait du vin. Dans la Rome du 1er siècle, on connaissait une dizaine de différentes variétés de raisins. On les séchait au soleil, pendus sur les terrasses des maisons. On essayait beaucoup de méthodes différentes pour leur conservation : on les enterrait dans le sable, on les gardait dans des bocaux immenses, on les mettait dans de la craie (pour n'en mentionner que quelques-unes). Les Grecs, suivis par les Romains, les plus grands viticulteurs de l'antiquité, sont responsables de l'invention du vin (voir : **A BOIRE - Les vins**). Un livre pour la maîtresse de maison du XIXe siècle dit que "le raisin frais ou sec ne devrait jamais disparaître de la table". Un buffet de vin et de fromage est impensable sans la présentation des raisins, et les raisins secs sont indispensables dans les pâtisseries, comme d'ailleurs les dattes, les figues et les fruits confits.

– Ajoutez un peu de jus de citron et une pincée de cannelle au verre de jus de raisin. Servez très froid.

– Pour un "cocktail" non alcoolisé, givrez un verre de 8 onces avec une bordure de sucre et servez cette recette garnie de demi-raisins et d'une tranche de citron.

– Ajoutez le jus d'un demi-citron à un verre de 8 onces de jus de raisin et 1/2 once de liqueur crème de menthe. Mélangez bien. Servez sur glace avec des feuilles de menthe fraîches.

– Les raisins plongés dans le blanc d'oeuf et ensuite dans le sucre et réfrigérés sont jolis comme garniture (par exemple dans les coupes de fruits frais, les salades de fruits, les cailles et petits poulets, etc.).

Le melon

Le melon fut connu d'abord en Asie. Les Chinois du 1er siècle conservaient les melons dans le vinaigre. Les archives et chroniques de pèlerinages rapportent qu'on mangeait en Italie le jambon cru avec le melon (melon au "prosciutto"). Le nom cantaloup est dérivé de Cantalupo, maison de campagne qui appartenait aux papes et où ils cultivaient le melon. En 1495, le melon fut importé en France. Le melon joue un grand rôle aussi bien comme hors-d'oeuvre que comme dessert, surtout autour de la Méditerranée, où la pastèque très souvent remplace l'eau (qui n'est d'ailleurs pas toujours recommandée comme boisson !).

— La meilleure façon — à mon avis — pour le cantaloup : servez 1/2 cantaloup sur glace, décorez d'une fleur. Remplissez l'ouverture avec du porto et une cerise marasque.

— Un demi-cantaloup rempli de boules de cantaloup, raisins blonds, tranches de banane, framboises, un peu de crème fouettée (fromage cottage pour moins de calories !).

— Arrosez une tranche de melon "honey-dew" avec un peu de brandy, réfrigérez et servez avec des biscuits boudoirs.

— Un peu de cannelle moulue sur les melons.

— Le sherry se marie très bien avec les melons (comme le porto).

— Les pastèques avec la peau verte et blanche sont les meilleures.

La poire

Les poires étaient connues en Grèce et à Rome, où on les mangeait fraîches, séchées, ou conservées dans le miel ; on faisait même du vin à partir de la poire. Elle était cultivée en Europe, en Asie, en Afrique du Nord, et fut importée par les Espagnols en Amérique du Nord. Aujourd'hui, la poire se range immédiatement après la pomme en popularité. On en connaît beaucoup de variétés.

— La poire "à l'impératrice" : une poire entière (laissez la tige), enlevez la pelure. Faites cuire et refroidir. Servez sur du riz chaud cuit au lait à la vanille, aromatisé d'un peu de rhum.

— Deux demi-poires cuites et refroidies remplies de crème glacée à la vanille et recouvertes avec de la sauce au chocolat chaude.

— Demi-poires étalées sur un plat allant au four. Remplissez les cavités avec de la gelée de groseille arrosée d'un vin rouge sec et saupoudrez de cannelle moulue (sucrez à volonté). Faites cuire au four. Après la cuisson, couvrez les poires de blanc d'oeufs fouettés et sucrez ; retournez au four jusqu'à ce qu'elles soient brunies.

— Les poires farcies au fromage Provolone (ou bleu), garnissez de menthe fraîche.

— Comme hors-d'oeuvre, servez les poires au "prosciutto" ou
les poires farcies de grenades et arrosées de kirsch. Décorez sur les feuilles de vigne.

La pêche

La pêche était déjà cultivée en Chine au Ve siècle avant J.-C. Elle fut importée en Grèce par Alexandre le Grand, qui fit sa connaissance en Perse. Le grand gourmet Lucullus, général romain, a amené la pêche à Rome, où elle était connue sous le nom de "pomme de Perse" (ou "persica" : venue de la Perse). Sous Louis XIV, la pêche avait une grande importance dans les pièces montées énormes. Les beignets de pêches étaient très recherchés comme dessert. Escoffier, le "premier cuisinier du monde" comme disait de lui César Ritz, créa à l'hôtel Savoy de Londres sa fameuse "Pêche Melba" en l'honneur de la grande cantatrice wagnérienne Nelly Melba.

— "Pêche Melba" : une demi-pêche farcie avec une boule de crème glacée à la vanille ; couvrez d'une sauce "Melba". Ecrasez 1 tasse de framboises fraîches, passez à la passoire pour enlever les pépins, ajoutez 1/4 tasse de sucre ; faites cuire 10 minutes. Faites refroidir.

— Les pêches au four : farcissez les demi-pêches avec des amandes hachées, un peu de sucre et du rhum. Mettez au four. Servez chaud avec de la crème fouettée.

— Les demi-pêches en conserve, réchauffées et farcies avec une gelée de menthe, sont un accompagnement idéal pour le gigot d'agneau et les côtelettes d'agneau.

L'abricot

L'abricot était appelé en Perse "oeuf du soleil". Pendant le temps d'Alexandre le Grand, l'abricot fut introduit en Grèce. Les Romains découvrirent l'abricot au Moyen-Orient. En Europe, l'abricot fut connu seulement aux XVe et XVIe siècles, et ce sont les premiers colons européens qui apportèrent l'abricot en Amérique. Alexandre Dumas a donné une recette de tisane aux abricots qui est, comme il le disait, "souveraine pour les inflammations d'estomac".

— Il y a seulement 50 calories dans 3 abricots.

— Achetez les abricots qui sont jaunes et sans taches. Servez-les en entier ou enlevez la pelure et servez coupés en deux avec sucre et crème fouettée. Aussi délicieux dans les salades de fruits. Percez les abricots frais plusieurs fois avec une fourchette, mettez-les ensuite dans un verre ballon rempli de vin blanc sec bien refroidi (ou champagne) et servez comme "cocktail" par temps chaud.

— Pour enlever la peau facilement (aussi pour les pêches), plongez dans l'eau bouillante, et après dans l'eau froide. La peau s'enlève avec les doigts seulement.

— Pour la cuisson des abricots secs, ajoutez quelques tranches de limette.

— Les abricots à la crème sure : égouttez les abricots en boîte, couvrez avec de la crème sure, refroidissez au réfrigérateur, saupoudrez de noix concassées.

— Les abricots Marguerite : faites une purée d'abricots cuits, refroidissez, mélangez avec de la crème fouettée. Mettez dans des verres ballons, garnissez d'un demi-abricot et d'amandes tranchées. Avant de servir, arrosez d'un peu de liqueur d'abricots, ambroisie !

Quelques biscuits boudoirs pour accompagner le tout.

A BOIRE

Les vins

Le vin est une boisson très ancienne, bien sûr, mais qui a vraiment eu l'idée de cultiver la vigne, de faire des gros raisins juteux qui nous donnent le vin et un tel plaisir de déguster et d'apprécier ce noble "jus" ? Noé faisait du vin, on en buvait en Egypte dans l'antiquité, en Grèce avant Homère, et aussi à Rome. Le vin était rare à Rome, et on raconte que Romulus acquitta un homme qui avait tué sa femme parce qu'elle avait bu du vin sans autorisation. Les femmes et les soldats n'avaient pas droit au vin, non pas pour des raisons religieuses, comme on le suppose très souvent, mais à cause de sa rareté à cette époque.

En Grèce, la vigne avait une très grande importance, et on disait que Dionysos, le plus populaire des dieux grecs, avait inventé le vin. Ce sont les Grecs qui enseignèrent aux Romains l'art de faire du bon vin. Mais leurs vins étaient bien différents des nôtres.

Les vins étaient lourds, épais, et on laissait les raisins au soleil jusqu'à ce qu'ils soient un peu secs (comme les fameux vins allemands d'aujourd'hui, tels que : Spätlese, Beerenauslese et Trockenbeerenauslese, qui sont en effet des grands vins exceptionnels et délicats). Les vins furent mélangés avec du miel; ils étaient mélangés avec des épices, très souvent cuites. Une sorte de vermouth était fait en mélangeant le vin épais avec de l'armoise.

Les Grecs, spécialement, aiment les vins aromatisés de fleurs et de fruits. Les Ecritures nous racontent que la cave à vin doit être remplie de l' "odeur de violettes et de roses" aussitôt qu'une cuve est ouverte pour la consommation.

Les catégories pour les vins furent connues très tôt. Le pharaon Ikhnaton, qui régna de 1379 à 1362 avant J.-C., classifiait ses vins comme suit : bons, très bons et très très bons. Nous savons aujourd'hui, selon la règle, qu'il y a 7 catégories : la première : 0 : piètre, et la septième : 7 : fameuse.

Au Moyen Age, on buvait beaucoup et on disait que "toute occasion est une bonne occasion pour boire". On buvait surtout un vin "vermeil" ou "clairet", d'où vient le mot "claret" qui désigne un bordeaux en langue anglaise. Le vin fut presque toujours coupé avec de l'eau et l'histoire nous dit que Louis XIV ne buvait jamais le vin pur, et cela jusqu'à l'âge de 40 ans. On buvait le vin glacé en été et réchauffé en hiver. Dans les pays entourant la Méditerranée, on remplit son verre avec des petits glaçons qui non seulement refroidissent mais aussi coupent le vin, ce qui, à mon avis, a du sens à cause du climat chaud de ces pays.

Il fut un temps où il était interdit, et punissable de condamnation à mort, de boire du vin pur. On offrait seulement une petite quantité de vin pur à la fin d'un repas pour montrer la force de ce merveilleux "cadeau des dieux".

Je me souviens toujours de cette coutume très ancienne quand on me sert, après un très bon repas, un vin de très grande qualité, décanté, tempéré à la perfection, accompagné d'un fromage fameux, mûri juste à point, et de fruits choisis. Quel délice : nectar et ambroisie !

Le vin réchauffé en hiver nous est connu sous les noms : Glögg (une recette suédoise) et Glühwein (une recette allemande). En hiver, mon père trempait dans le bourgogne une lame en argent rougie au feu ; on le buvait après le repas devant le foyer.

Pendant la Renaissance, le champagne fut le vin de la table royale. Le bourgogne régna avant le bordeaux, qui connut sa gloire au XVIIIe siècle, grâce au grand gourmet qu'était le Maréchal de Richelieu. Le bordeaux, qui n'avait pas sa place à la table des nobles, fut connu sous le nom de "tisane à Richelieu", et alors accepté à la cour ; Louis XIV l'appela "nectar des dieux".

La France est le pays du vin par excellence, et les grands noms de Baune, Saint-Emilion, Chablis, Epernay, Côtes-du-Rhône et Hermitage sont trouvés dans les écrits qui datent du XIIIe siècle. A la fin du Moyen Age, les vins espagnols, portugais, les vins d'Italie, le malaga et le madère, et les grands vins blancs d'Allemagne occupaient une place importante. Aujourd'hui, nous trouvons les vins de la Californie, qui ont une importance de plus en plus reconnue.

Parmi les plus grands noms des grands vins de Bordeaux, on trouve : Château-Lafite, Château-Latour, Château-Margaux et Château Haut-Brion, qui représentent les quatre premiers crus du Médoc dans la célèbre classification de l'Exposition de Paris de 1855. Château-Mouton-Rothschild fut classé en première place du deuxième cru. Le Château-Cheval-Blanc est renommé comme un des deux plus grands vins de Saint-Emilion ; l'autre est le Château-Ausone.

Le Château-d'Yquem occupe la première place parmi les vins du district de Sauternes, et il est un des rares vins blancs qui aient besoin de développer leur saveur dans la bouteille avant d'être consommés. C'est aussi un vin qui se garde longtemps. L'année 1959 fut particulièrement bonne pour Yquem.

Parmi les plus nobles noms de la région de Bourgogne, on trouve : le Clos Vougeot ; le Montrachet, qui, d'après Alexandre Dumas, devait être bu "à genoux et la tête nue", et est reconnu comme le "roi des vins blancs" de la Bourgogne; le grand Richebourg du village de Vosne-Romanée; le grand "Chambertin", qui a été le vin préféré de Napoléon et qui eut une magnifique année : 1945.

Les meilleurs vins d'Alsace sont le Riesling et le Gewürztraminer ("gewürz" : épice). Ces vins ont une saveur inoubliable.

Schloss Johannisberg, qui donne sur le Rhin, est un des plus grands noms de l'histoire du vin en Allemagne. Le château appartient à la famille Metternich, qui recevait le château des Habsbourg pour leurs excellents services. On fait un Trockenbeerenauslese qui est fantastique ; seulement, il faut savoir quand boire un si grand vin blanc. C'est un vin bu au dessert ou entre les repas, et on sert un vin comme celui-là très souvent entre 17 h et 19 h, ou après 21 h. Le vin Eiswein est similaire au Trockenbeerenauslese, mais les raisins doivent avoir eu le premier gel avant d'être cueillis. Evidemment, ces vins ont des prix assez élevés, mais c'est toute une expérience que de les déguster.

Le vin Bernkastler Doctor est la personnification d'un Moselle par excellence.

N'oublions pas le blanc italien, lacryma-christi, et les rouges Barolo, Chianti Classico et Valpolicella.

Voici quelques termes usuels concernant le vin :

bouquet : c'est l'arôme d'un vin. Il est comparable à l'odeur d'un parfum
corsé : alcoolisé et consistant
léger : le contraire du précédent
corps : riche et alcoolisé avec une saveur marquée
sec : non sucré
doux : un peu sucré
liquoreux : assez sucré, épais
fruité :on retrouve la saveur du raisin
robe : couleur du vin

appellation contrôlée : expression à trouver sur les étiquettes des vins français. Ce contrôle gouvernemental précise la production à l'acre et le minimum d'alcool permis dans le vin, la nature du ou des cépages cultivés et l'aire de production exacte des vignes. Les vins doivent être préparés et vieillis selon des normes strictes de vinification.

château : strictement dit, c'est un "château", mais le terme indique généralement une propriété vinicole — un château ou une maison et ses vignes — sur laquelle le raisin est vendangé, le vin préparé et *mis en bouteille sur place*. Si un vin de Château est authentique, il porte son étiquette : vin de Château X, appellation contrôlée Bordeaux (par exemple), *mis en bouteille au Château.*

TABLEAU DES MILLESIMES

Année	Bordeaux rouge	Bourgogne rouge	Bordeaux blanc	Bourgogne blanc	Champagne
1960	4	2	3	4	–
1961	7	7	7	7	7
1962	6	5	6	5	6
1963	5	2	2	4	–
1964	6	6	6	6	6
1965	2	2	1	4	–
1966	6	6	5	5	6
1967	5	5	6	5	–
1968	3	2	3	3	–
1969	4	6	4	6	6
1970	6	5	6	5	–
1971	5	7	5	6	7
1972	5	5	5	5	–

Une année millésimée est une année dont les conditions climatiques ont été idéales pour la récolte et ont donc permis d'obtenir un raisin parfait. Le tableau des vins millésimés indique le degré de qualité des vins par rapport à l'année de la récolte.

Température du vin : quelques spécialistes prohibent l'usage du seau à glace, d'autres réfrigèrent le vin. Ce qui importe, c'est le résultat. Frapper, c'est plus fort que rafraîchir. On frappe le champagne, les sauternes et, peut-être, les rosés et le vin Alsace (mais pas le Gewürztraminer). Mais certains blancs peuvent être légèrement chambrés (entre 58° et 62° F). Quelle horreur de voir un glaçon dans un grand vin blanc ! Mais un blanc marocain, algérien ou tunisien se boit facilement sur la glace. On peut cependant refroidir un peu le verre, mais je ne vois pas pourquoi on veut servir un Yquem ou un Trockenbeerenauslese dans un verre glacé.

Bourgognes et bordeaux sont bus chambrés (entre 60° et 65° F) et débouchés deux heures (au moins une heure) avant d'être servis.

Les très grands champagnes comme un Dom Pérignon, Comtes de Champagne, Laurent Perrier Cuvée Grand Siècle ou Diamant-Bleu Heidsieck Monopole sont seulement rafraîchis ; si on a une cave, on les fait attendre sur place avant le service.

Le choix des vins n'est plus une oeuvre de grande délicatesse. Qui boit encore, à la fin d'un dîner, un grand Château légèrement réchauffé à la lame, un lacryma-christi tempéré ou un grand Trockenbeerenauslese ou Eiswein à la température exacte ? Les règles sont facilitées et simplifiées, l'art d'harmoniser les vins et les mets indiqués est adapté à notre vie d'aujourd'hui. Les vins mentionnés en sont des exemples.

Avec les crustacés : avec les huîtres, le chablis ou un Pouilly-Fuissé ; avec les fruits de mer, poissons et autres crustacés avec une sauce à la crème, essayez un Gewürztraminer ; et, évidemment, avec tous les fruits de mer, les coquillages, etc., un Alsace (Riesling, Traminer), un vin du Rhin ou de la Moselle, un Muscadet, un Pouilly, un Anjou sec, un Meursault, un Montrachet, un Mâcon, un Graves sec, un Entre-deux-Mers, un Hermitage, un Clairette-du-Languedoc. Le champagne brut, ou un bon mousseux (Henkell brut, Deinhard brut).

Tout poisson préparé au vin rouge exige le même vin que celui utilisé dans le fond de la sauce.

Avec la bouillabaisse : les rosés du Midi, Côtes-de-Provence, Côtes-du-Rhône.

Avec le poulet ou la dinde : bourgogne blanc, par exemple un Meursault, un Montrachet; ou un rouge, comme un Vosne-Romanée, un Chambolle-Musigny, un Valpolicella ou un Barbera.

Les blanquettes et fricassées : les vins tendres, légers comme le beaujolais, le bordeaux clairet, le Tavel, Rosé d'Anjou, de Touraine ou Côtes-de-Provence.

Le ris de veau : un rouge Bordeaux ; peut-être un Bourgogne ou Côtes-du-Rhône si on préfère les bourgognes, ou un Cabernet-Sauvignon.

Avec le foie gras de Strasbourg : Gewürztraminer, German Auslese, Spätlese ou Tokay, Montrachet, Corton, Graves ou un bon champagne brut.

Avec le gibier à poil et à plume : le gibier à saveur fine (caille, perdreau), un Médoc, Hermitage, Chianti-Classico ; avec les pièces à saveur accentuée, un Chambertin, Nuits, Châteauneuf-du-Pape.

Avec les rôtis (les viandes blanches : veau, agneau, porc) : les rouges légers et racés comme Saint-Emilion, Pomerol, Margaux, Pauillac.

Les viandes rouges (mouton, boeuf) : les vins rouges de noble terroir, comme un grand vin de Bordeaux, de la côte de Nuits, de la côte de Beaune, des Côtes-du-Rhône ou un très bon beaujolais.

Et le canard à l'orange ? peut-être essayer un Château-Chalon, un Cabernet-d'Anjou, la Clairette-du-Languedoc ou un autre grand vin doux et naturel à goût de ''rancio''.

Le fromage et le vin semblent avoir été faits l'un pour l'autre ; je crois que chaque fromage a son vin (et fruit) et que le fumet doit respecter le bouquet.

Avec les fromages frais et pâtes fondues : les blancs et rosés doux ; avec les fromages de chèvre : les rosés, les blancs secs et les rouges fruités ; avec les pâtes demi-dures, persillées, aux fines herbes ou pressées : les vins rouges légers; avec les pâtes fermentées ou molles : les vins rouges plus puissants.

Le roquefort demande un grand vin rouge d'une grande année, comme Romanée-Conti ou Clos-de-Bèze, par exemple ; ou un vin blanc liquoreux (Trockenbeerenauslese, Eiswein) ; pourquoi pas un Piesporter-Goldtropfen, un Spätlese ?

Avec les noix, le fromage Stilton et cheddar : porto, madère.

On termine le repas avec le dessert, le sourire après le repas, et sur une note de charme avec les vins blancs liquoreux ou parfumés ou avec un champagne ou mousseux demi-sec. On ne sert jamais de vin avec le chocolat ou les desserts au chocolat.

La cave à vin : le vin est une matière vivante, en évolution perpétuelle. Il est extrêmement sensible à tout choc, changement de température, etc.

Il lui faut un endroit calme, sombre et frais avec une température égale (environ 55° F). Le vinaigre, la choucroute, les cornichons, les pommes, melons et olives, etc. lui déplaisent, aussi bien que l'humidité et la saleté. Les bouteilles restent couchées, avec le bouchon en contact constant avec le liquide. C'est la meilleure façon d'éviter que le vin ne s'évente. Gardez un registre pour chaque bouteille et offrez seulement les bouteilles qui reposent depuis au moins quelques jours. Il est recommandé de garder les magnums (une double bouteille) dans les caves. Le champagne devrait être consommé dans la première année de son embouteillage. Il ne se garde pas plus longtemps.

Décanter. La question de savoir si un vin est à verser dans une carafe ou non se pose très souvent et la réponse est assez facile. Chaque vin rouge — sauf de très vieux vins rouges — développe son arôme en embouteillage. Le contact avec l'air, qui est considéré comme ennemi du vin pendant qu'il se développe dans sa bouteille, permet au vin rouge d'améliorer son bouquet. Ceci s'obtient normalement en ouvrant la bouteille une ou deux heures avant sa consommation. Les très vieux vins rouges, les grands crus classés, perdent leur bouquet très vite après que la bouteille a été ouverte et, très souvent même, le vin qui a été parfaitement intact dans sa bouteille s'évente au contact de l'air. Pour décanter un vin avec succès, il suffit simplement d'avoir une autre bouteille propre et une bougie. Si on possède une carafe, elle ne devrait être ni trop décorée ni trop taillée. La bougie permet de voir à travers la bouteille dans laquelle se trouve le vin. S'il y a un dépôt, il s'agit de transvider le vin jusqu'au moment d'en arriver au sédiment ; celui-ci reste alors dans la première bouteille et il faut que le vin dans la carafe soit net et clair.

Aucun filtre n'est nécessaire ; en effet, le vin ne devrait pas être en contact avec une matière étrangère ; seulement de bouteille à bouteille. Sauf si j'ai le plaisir de déguster un très vieux vin, je décante chaque vin rouge, même les petits "rouges de table".

Les vins blancs restent dans leur propre bouteille et on les ouvre juste avant la consommation.

Les fraises en purée au champagne, créées par Pauline de Rothschild, sur Château-Mouton : les fraises fraîches au "blender" dans une coupe à champagne et ajouter le champagne bien frais.

La pêche au champagne (une recette de mon enfance) : la pêche fraîche bien lavée, mais avec sa peau, est piquée avec une fourchette plusieurs fois tout autour, puis mise dans une large flûte à champagne et recouverte de champagne. En Allemagne, on appelle cette boisson fort rafraîchissante "Kuller Pfirsich" (la pêche qui roule), car, effectivement, elle tourne dans le champagne.

Une boisson d'été très légère : remplissez un verre à vin, moitié champagne (mousseux) et moitié Club-Soda ; décorez avec quelques feuilles de menthe fraîche.

La boisson "bonjour" : dans un verre à vin ; 2/3 de jus d'orange frais pressé et refroidi et 1/3 de champagne.

Le kir de Dijon : 1 partie de crème de cassis pour 7 parties de chablis bien refroidi. Un kir ordinaire peut être fait avec un autre vin blanc sec. Si on aime le kir plus doux, mélangez 1 partie de crème de cassis avec 5 parties de vin.

Le kir Royal : au lieu du chablis, prendre du champagne.

Le kir "Margarita" : comme le kir de Dijon, plus 1/2 once d'eau de vie de framboises.

La soupe russe aux fraises et au champagne est excellente,

au lieu d'un sorbet, entre un plat de poisson et le plat de résistance (par exemple) ou comme hors-d'oeuvre en été ou avant un repas en plein air : les fraises au "blender" bien refroidies en purée très épaisse. Servez dans des coupes individuelles en cristal, qui reposent dans d'autres bols plus grands sur des cubes de glace, et décorez avec des fleurs. Le champagne est ajouté à table. On ajoute sur ce mélange de la crème sure et des zestes de citron finement coupés. Pour donner un arôme différent, servez avec de la menthe fraîche et de la crème fouettée.

Une boisson d'été : mélangez un verre de vin blanc sec bien refroidi avec 1 once de gin et une rondelle de concombre avec un brin d'aneth frais.

La sangria blanche : mélangez dans un broc à eau 1 bouteille de chablis ou de vin blanc sec avec 1 1/2 c. à table de brandy (ou cognac), une variété de fruits frais coupés en cubes, un peu de sucre ; ajoutez les cubes de glace, laissez reposer et refroidir. Servez dans les grands verres ballons, décorez avec les fruits.

Pilsen et champagne : remplir à moitié un verre à bière avec de la Pilsen bien rafraîchie et versez le champagne lentement jusqu'à ce que le verre soit rempli.

La coupe du skieur : dans une casserole, 1 bouteille de bon vin rouge sec, 180 g de sucre en poudre, 1 zeste de citron, 1 clou de girofle et une pincée de cannelle. Chauffez sans bouillir. Servez dans des chopes avec une rondelle de citron.

(Pour les recettes du Glögg suédois et du Glühwein allemand, consultez *l'Art de la table.*)

Porto : il est fait au Portugal au bord du fleuve Douro. Le porto est un vin fortifié, ce qui signifie que du brandy est ajouté dans la fermentation. Un grand cru doit reposer au moins 5 jours après qu'il a été acheté avant d'être servi, car il y a toujours un sédiment. Si le porto n'est pas complètement net (clair) dans le verre lorsque celui-ci est tenu à la lumière, il doit reposer encore ou être décanté. La différence de goût entre clair et nuageux est apparente même si on n'a jamais dégusté un bon porto auparavant.

Le prix d'un grand cru, même d'une année récente, peut être très élevé, et le prix d'un Cockburn, par exemple, peut vous donner un petit choc. Mais quel plaisir il peut donner après un repas parfait. Les grands crus des années 1945 à 1958 sont à déguster maintenant; ceux de 1960, à déguster à partir de la fin des années 1970; ceux de 1963 à 1967, à déguster à partir de 1980.

Le porto contient environ 20 p. cent d'alcool.

Madère : le nom est protégé par la loi (comme d'ailleurs le porto) et ce vin ne peut venir d'un autre endroit que Madère.

La maturation d'un madère est atteinte en réchauffant les vins graduellement dans des pièces très chaudes, "estufas", jusqu'à environ 49° C. Ce procédé prend environ un mois et on garde les vins à cette température environ quatre mois pour les refroidir lentement pendant un autre mois. On trouve dans un madère un arôme légèrement "brûlé", délicieux et unique pour le vin. Les madères plus secs sont plutôt servis entre 17 h et 19 h et les madères doux à la fin d'un repas (essayez un madère Malmsey doux avec un pouding !).

Les madères, comme d'ailleurs les vieux portos et sherrys, ont très souvent un "dépôt" (sédiment), surtout s'ils étaient gardés à température trop froide. Ceci est tout à fait normal. Il s'agit simplement de donner le temps à ces vins de se reposer et il vaut mieux les verser lentement dans une carafe avant de servir.

Sherry : le sherry et le madère sont des vins fortifiés et plus forts qu'un vin de table, avec environ 17 p. cent à 21 p. cent d'alcool. Ce sont des grands vins, avec un arôme délicat mais merveilleusement complexe.

Le sherry est disponible dans une grande variété, allant de très sec jusqu'à très doux.

Comme tout autre vin, les secs conviennent mieux avant le repas, et les doux, après le repas, ou entre les repas (de 17 h à 19 h, par exemple). Les grands crus sont très rares et presque jamais vendus sur le marché. Le sherry authentique vient seulement d'Espagne, précisément d'Andalousie, près d'un village charmant, Jerez de la Frontera. Le sherry est appelé "jerez" en Espagne et il est toujours servi avec des "tapas", ce qui veut dire petites bouchées (et elles sont gratuites en Espagne).

Les sherrys secs sont mieux servis légèrement refroidis (50° F environ) et dans des verres assez gros, des "copitas", ou, si l'on veut, dans un verre à vin blanc, style "tulipe".

Les sherrys Fino, Manzanilla et Amontillado sont normalement secs et d'une couleur jaune dorée ; et les sherrys Oloroso, Amoroso, Cream Sherry et Brown Sherry sont plus doux, jusqu'à sucré, et plus foncés, jusqu'à presque brun.

Les sherrys plus clairs ne peuvent être gardés que quelques jours après avoir été ouverts, et au réfrigérateur, tandis qu'un Cream Sherry ou un Brown Sherry se garde pendant quelques semaines (même dans une carafe fermée).

Une bouteille de sherry âgé de 10 ans au moins est une révélation pour le connaisseur.

– Essayez un verre de sherry avec un oeuf fouetté pour "activer la circulation".

– Dans un "shaker" : un verre de sherry doux, un jaune d'oeuf et de la glace ; servez avec de la cannelle moulue.

– Une boisson très rafraîchissante en été : jus d'orange frais avec 2 onces de sherry sec ; servez sur glace avec une tranche d'orange.

– Essayez une boisson recommandée par des connaisseurs : "Harveys Bristol Cream sur glace" avec un morceau de limette. C'est une boisson servie entre 17 h et 19 h.

Le cognac, le brandy, l'armagnac

Le cognac a été découvert au XVIIe siècle par un chevalier qui disait : "En cuisant les vins, j'ai découvert leur âme", et peu après, la distillation des vins devint très populaire et chaque paysan un peu aisé réussissait à "brûler" ses vins facilement.

Le cognac fut rapidement connu en France et à l'étranger et il fut exporté jusqu'en Louisiane (Etats-Unis) et à Saint-Domingue.

Vers la fin du XVIIIe siècle, on commença à faire vieillir le cognac, avec de très bons résultats. Il faut au moins 3 ans pour qu'un cognac soit bon, mais on devrait en réalité attendre plus longtemps. Un grand "fine champagne" peut avoir jusqu'à 100 ans, et même plus. Le nom "cognac" ne peut être donné à aucun autre brandy que celui qui vient de la région de Cognac. Le cognac est distillé du vin fait des raisins des départements de Charente et de Charente-Maritime. Cognac, petite ville idyllique, est situé au bord de la Charente, fleuve qui donne son nom à ces deux départements. Cognac a été construit il y a 2 000 ans et c'était un port très important pour le commerce intérieur. On y exportait surtout le sel et le vin ; et aujourd'hui, le cognac, qui a pris la place la plus importante de tous les autres brandys.

Il y a 7 crus de différentes classes, dont voici l'ordre :

Les grands champagnes sont les plus délicats et vieillissent le mieux.

Les petits champagnes partagent avec les grands champagnes l'appellation de "fine champagne".

Borderies vieillissent plus rapidement, mais avec un goût très fin.

Fins bois, moins fins, vieillissent vite.

Bons bois, toujours agréables.

Bois ordinaires, goût fort, bas prix.

Sur les bouteilles, nous trouvons les initiales suivantes :

V.S.O. (Very Superior Old) pour les cognacs de 12 à 17 ans ;
V.S.O.P. (Very Superior Old Pale) pour les cognacs de 18 à 25 ans ;
V.V.S.O.P. (Very, Very Superior Old Pale) pour les cognacs de 25 à 40 ans.

Brandy : le nom est dérivé du hollandais "brandewijn" et de l'allemand "Branntwein", qui signifient en anglais "burnt wine" (vin brûlé). Le mot "brûlé" fut le mot qui indiquait que le vin était distillé. Spiritueux est un mot appliqué aux différents spiritueux de base variée. Mais le mot brandy s'applique seulement aux spiritueux distillés du vin, connus en France aussi sous le nom d'eau-de-vie. Les qualités, les types et les prix sont parfois très différents, à cause de :

— la différence entre les vins dont le brandy est distillé ;
— le procédé de distillation ;
— la composition et la finesse du mélange ;
— les tonneaux dans lesquels on garde le brandy, l'humidité de la cave où il repose et le temps pendant lequel il reste dans cette cave.

L'Allemagne exporte un très bon brandy au Canada sous le nom de Asbach Uralt (le mot Uralt veut dire : très vieux).

Armagnac : après le cognac, l'armagnac est le meilleur brandy distillé en France. En règle générale, un bon armagnac est toujours meilleur qu'un cognac de qualité inférieure, mais le plus fin armagnac ne peut jamais être aussi fin qu'un "fine champagne".

Les vignobles de l'Armagnac sont placés dans les départements du Gers, des Landes et de Lot-et-Garonne. Ils sont divisés en trois districts : Bas-Armagnac, Ténarèze et Haut-Armagnac. Les deux premiers sont renommés pour produire les armagnacs les plus fins. Cognac et armagnac sont les seuls brandys en France à porter l' "appellation contrôlée" du gouvernement français.

Les boissons fortes

Arrack : c'est une boisson de l'Europe orientale, aussi connue au Moyen-Orient. Le nom est dérivé de l'arabe, et veut dire : "jus". L'arrack est distillé des dattes au Moyen-Orient, parfois fermenté du riz ou de la sève des palmiers. Le plus connu des arracks vient de Java ; il est fermenté de la mélasse, et c'est en effet un rhum. Essayez un mélange un peu exotique : 1/2 arrack, 1/4 jus de citron, 1/2 jus d'orange et sucrez au goût ; servez sur glace !

Aquavit : dérivé du latin "aqua vitae" (eau de vie), alcool distillé. Très connu en Scandinavie et consommé très froid, même glacé. On le sert à partir du congélateur, ou congelé dans un bloc de glace, dans de très petits verres givrés, avec du hareng salé et le Smörgasbord.

Un aquavit au parfum de graines de carvi est connu sous le nom d' "Aalborg". Il y a aussi des aquavits au parfum de fruits.

Anis : c'est un grand nom désignant une grande variété de spiritueux parfumés à l'anis et à la réglisse, comme le Pernod, Ricard et Berger, pour la région de Marseille surtout; Ojen surtout en Espagne; et Ouzo en Grèce et en Yougoslavie, où on vous sert le café avec un Ouzo. Dans le Sud de la France et à Barcelone, on vous sert automatiquement un pastis dans un bar si vous ne précisez pas votre commande. D'habitude, le pastis se boit avec glace et un peu d'eau.

Calvados : si on n'a jamais goûté de "brandy" de pommes de la Normandie, proprement vieilli, on a vraiment manqué quelque chose. Et si vous voulez une boisson de Noël chaude qui soit différente – et qui se présente bien "enflammée" –, essayez ce "Punch Paysan" : 4 oranges, parsemées de clous de girofle et cuites au four jusqu'à ce qu'elles soient molles et bien douces. Mettez dans un bol à punch résistant au feu. Ajoutez 1 bouteille de calvados chaud et allumez. Eteignez les lumières dans la pièce et laissez flamber quelques minutes, puis arrosez avec 1/2 gallon de cidre de pommes chaud. Servez dans des chopes avec de la cannelle moulue.

Danziger Goldwasser : cette liqueur d'une saveur de graines de carvi, avec des flocons d'or de 24 carats qui flottent dans la bouteille comme une tempête de neige, fut la liqueur par excellence de mon enfance. Le mot signifie "l'eau d'or de Danzig" et elle fut la première liqueur faite avec de l'or véritable. La France fait une "Liqueur d'Or" qui lui ressemble beaucoup. C'est un digestif assez fort qu'on boit pur et à la température "chambrée".

Fior D'Alpe : c'est un "sujet de conversation" comme la Poire Williams avec sa poire entière dans la bouteille. Dans le Fior D'Alpe, il y a une brindille dans la bouteille, et la teneur en sucre est si élevée que les cristaux de sucre se posent sur la brindille comme de la neige en hiver. La Poire Williams est un des digestifs les plus luxueux et les plus coûteux, et on le boit dans un verre rafraîchi avec un glaçon qu'on enlève avant de verser la Poire Williams. Le Fior D'Alpe est bu "chambré".

Slivovitz : est bu beaucoup en Europe centrale et dans les pays balkaniques, surtout en Hongrie et en Yougoslavie. C'est une boisson à base de prunes, à vrai dire un "prune brandy".

Rhum : il est reconnu comme une "boisson de soleil" ; il nous fait penser à Trinidad, d'où il vient. Le rhum est distillé du jus de la canne à sucre ou de la mélasse. Il y a plusieurs variétés de rhum, mais celles de la Jamaïque et de la Martinique sont les plus délicatement savoureuses.

Les boissons à base de rhum sont des boissons d'été :

— tout le monde connaît le daiquiri, mais il y a aussi :

— Marie-Galante : 3 parties de rhum, 2 parties de triple sec et le jus d'une limette.

— Port-Royal : 1 partie de rhum, 1 partie de Tia Maria et 1 c. à thé de limette.

Connaissez-vous le sandwich fait avec du rhum et des gardénias ? Marinez quelques pétales d'un gardénia dans du rhum pendant quelques heures. Sur du pain blanc, légèrement beurré, placez des tranches fines de concombre et placez quelques pétales de gardénia que vous couvrez avec de la mayonnaise et une autre tranche de pain blanc. Coupez en coins, disposez sur des gardénias frais. Voilà votre sandwich tropical. Servez avec une boisson à base de rhum.

Rhum Pot est une vieille idée allemande ; il est très savoureux. Dans un grand pot en terre cuite, on place les fruits de chaque saison — en commençant avec les fraises — et on ajoute à chaque fois du rhum, qui doit toujours couvrir complètement les fruits. On ferme le pot hermétiquement après y avoir ajouté tous les fruits.

Le rhum conserve les fruits, qui accompagnent merveilleusement bien toutes sortes de desserts en hiver, et le rhum aux fruits fait un digestif très fruité, et fort ! Traditionnellement, il est servi avec les fruits — par exemple —, la crème glacée ou un pouding à la vanille, ou un gâteau éponge.

Tequila : cette merveilleuse boisson distillée d'une plante de la famille des agaves nous vient du Mexique. Elle est soumise à une sorte d'appellation contrôlée qui dit que le nom tequila est donné seulement à cette "eau-de-vie" venant de la ville de Tequila, dans l'Etat de Jalisco, et que toute autre sorte doit correctement être appelée mezcal. Les "aficionados" du Tequila le boivent très froid, comme un aquavit ou une vodka.

Il s'agit d'humecter la surface entre le pouce et l'index, d'y mettre un peu de sel, et de prendre entre ces deux doigts un morceau de limette ; on lèche le sel, on mange la limette et on boit la tequila très froide ; pas nécessairement dans cet ordre ! mais peu importe : les "aficionados" nouvellement initiés trouveront certainement leur propre manière.

L'introduction du cocktail "margarita" a eu une grande influence sur les étudiants sérieux de l'art des boissons mélangées : 2 onces de tequila, 1 c. à table de Cointreau, jus de 1/2 limette et du sel. Servez dans un verre au bord givré avec du jus de limette et du sel, avec une fine tranche de limette comme touche finale.

Tequini est un Martini fait avec tequila et vermouth aux proportions de 4 pour 1 : servez avec un zeste de limette (ou citron).

Vodka : un Russe ne boit jamais de la vodka quand il est seul. L'étiquette et le protocole exigent un toast, et comme on ne peut pas offrir un toast à soi-même, on ne boit pas seul. Il faut toujours faire son petit discours avant d'avoir le droit de boire de cette merveilleuse petite boisson pleine de feu. Le mot vodka signifie "eau du feu", si on veut le traduire exactement. Evidemment, il y a beaucoup d'occasions pour faire un toast ; si on cherche soigneusement, on trouvera un bon nombre d'occasions de boire un verre de vodka glacée, avec les "zakuski" au caviar (petites bouchées au caviar).

La vodka est servie glacée comme l'aquavit, et, si possible, dans un petit verre en argent (ou étain) "avec une larme", ce qui veut dire que le verre doit être givré complètement. Dans les restaurants de grande renommée, comme Nikita's Russian Restaurant à Londres, ou Léon's au Téhéran, maintenant aussi à l'hôtel Château-Champlain à Montréal, la bouteille de vodka est gelée dans un bloc de glace. C'est spectaculaire. Dans les pays scandinaves, on sert l'aquavit de la même façon. Vous pouvez l'essayer en mettant la vodka dans une demi-bouteille (de vin par exemple) que vous placez dans un tube en fer blanc assez grand pour contenir la bouteille et assez d'eau pour l'entourer. Mettez le tout dans le congélateur. Pour enlever le tube, mettez un moment sous l'eau chaude. Entourez votre bloc de glace contenant la vodka avec une serviette et servez. Le succès est assuré et la conversation aussi ! Ajoutez quelques fleurs, herbes ou feuilles de citron ou autres dans l'eau qui entoure la bouteille de vodka avant de mettre dans le congélateur. L'effet est encore plus ravissant ! Ma favorite a été la Zubrovka, une vodka polonaise avec un goût de noisette et une couleur légèrement verdâtre. On met dans la bouteille un brin d'herbe du même nom, qui est normalement mangé par les bisons européens. Il y a de nombreuses variétés de vodka, et très souvent la vodka est colorée au safran, qui donne une couleur dorée et un goût très distinct. Faites vous-même une vodka qui ressemble à la Pertsovka en ajoutant quelques (12-15) grains de poivre noir dans une bouteille de votre vodka préférée, et laissez reposer pendant une semaine avant de servir. Une vraie "eau-de-feu" est le résultat.

De très bonnes vodkas — et caviars — existent en Iran, et on y fait une boisson d'été délicieuse et très rafraîchissante qu'on appelle "abdug". Elle est fabriquée à base de yaourt et de vodka : un verre de 10 onces avec un yaourt nature et du soda : bien mélanger, ajoutez 1 1/4 once de vodka et une pincée de sel. Garnissez avec des feuilles de menthe.

Au Canada, nous trouvons la vodka russe "Moskovskaya" et polonaise "Wyborowa", toutes les deux de très bonne qualité.

Le cidre

Quand nous parlons de cidre, normalement, nous ne pensons pas au cidre comme à un "vin", mais en réalité, il est, comme le vrai vin, un jus de fruits fermenté.

Le mot cidre est dérivé du mot hébreu "shekhar" (boisson forte). On dit que le premier cidre a été importé en Espagne par les Maures, dont la religion interdisait de boire du vin. Ce sont des moines européens qui commencèrent la fabrication du cidre au XIIe siècle, et de monastère en monastère, cette boisson très rafraîchissante fut connue jusqu'en

Angleterre. En France, la Normandie est fort connue pour son cidre ; en Angleterre, les cidres du Herefordshire, du Somerset et du Devon sont les plus renommés. Le Canada, pays de la pomme McIntosh, produit de très bons cidres. On pense même que le Canada est le créateur de la pomme McIntosh, puisqu'un paysan du même nom trouva cet arbre il y a environ 150 ans dans la vallée du fleuve Saint-Laurent, en Ontario, sur le terrain qu'il cultivait.

On y trouve des variétés, allant de très sec jusqu'à très sucré, et même les "champagneux", et on oublie souvent que le cidre fait une base délicieuse pour de nombreuses coupes, punchs, etc., surtout pour des invitations à grand nombre de personnes ; et en été, on sert le cidre froid, comme un mousseux, par exemple. Mais le cidre ne représente pas une boisson pour une invitation formelle. On trouve de nombreuses recettes de cuisine au cidre, au goût fort intéressant.

— La coupe de cidre : 1 pinte (1,3 litres) de cidre sec, 1/2 pinte de fruits frais (ananas, oranges ou peut-être nectar de papaye ou de mangue), le jus d'un citron, 3 onces de Cointreau, soda au goût. Servez sur glace avec décoration de tranches de fruits frais ou des feuilles de menthe fraîches.

— "La pomme qui chante" : 2 parties de calvados, 2 parties de cidre champagne, un soupçon d'Angostura, du sucre au goût, tranche de pomme ; servez sur glace. Mélangez les ingrédients dans un verre de 10 onces, ajoutez le cidre à la fin et une tranche de pomme comme garniture.

— Cocktail au cidre : dans des verres de 8 onces, versez 1 1/4 once de Cointreau ; ajoutez une rondelle de citron, une rondelle d'orange, quelques morceaux d'ananas (frais) ; ajoutez 2 glaçons et remplissez avec du cidre pétillant. Garniture : une tranche de limette ou quelques brins de menthe fraîche.

– Le cidre chaud pour la "cabane à sucre" : chauffez le cidre avec du sucre brun au goût et de la cannelle en bâton. Servez dans des chopes et décorez avec une tranche de pomme saupoudrée de cannelle moulue.

La bière

William Shakespeare disait : "Une pinte de bière est un plat de roi", mais on buvait de la bière bien longtemps avant ça.

En effet, la bière est une des plus anciennes boissons du monde et, même aujourd'hui, une des plus populaires. Qui a été le premier buveur de bière ? On sait que les Egyptiens en étaient les plus grands consommateurs dans l'antiquité, et dans les archives trouvées dans les tombeaux datant de 6 000 ans et plus avant J.-C., on a trouvé des recettes pour la fabrication de la bière. La bière servait pour payer les ouvriers, en plus du pain. Même les Grecs et les Romains consommaient eux aussi beaucoup de bière ; et même les Incas du Pérou la connaissaient. Dans le Nord de l'Europe, les Gaulois, les Saxons, les Scandinaves et les Germains buvaient de la bière mélangée avec du miel et aromatisée de gingembre, de genièvre et de cannelle : le "Met".

La fameuse soupe allemande à la bière plaisait tout spécialement à la belle-soeur de Louis XIV. La recette était exactement la même que celle que nous mangions dans mon enfance (et qu'on prépare encore aujourd'hui de la même façon à Belfort (France) près de la frontière suisse et allemande). C'est une soupe sucrée : 1 litre de bière (blonde) cuite avec des bâtons de cannelle, un zeste de citron râpé et du gingembre au goût. On ajoute du lait mélangé avec de la farine (pour épaissir la soupe), des jaunes d'oeufs et du brandy. Les blancs d'oeufs sont battus en neige. On forme les boules avec une cuillère à soupe et on les place sur la soupe chaude en refermant le couvercle pendant quelques minutes. Servez avec des zestes de citron râpés sur les boules de blancs d'oeufs.

La fête de la bière à Munich (Allemagne), qui a lieu chaque année dans la dernière semaine de septembre et la première semaine d'octobre, est connue sous le nom d' "Oktoberfest". C'est une chose à ne pas manquer. On y boit un bock, le mot allemand pour chope, depuis l'année 1860.

Il y a plusieurs sortes de bière, comme la fameuse Guiness, qui est vigoureuse, et la bière de Munich, qui est blonde et plus douce. Elle a été introduite pour la première fois en 1541. Les Viennois ont leur propre bière depuis la Première Guerre mondiale. Elle est peu alcoolisée, très légère et parfumée. La bière Pilsen est très célèbre et vient de la ville qui porte le même nom (Plzeň), située en Tchécoslovaquie. Evidemment, la bière allemande est la plus renommée, mais les bières belges, françaises, suisses, et surtout la bière danoise Carlsberg créée en 1847, ont aussi une très grande renommée. Louis Pasteur (1822-1895), le grand chimiste et biologiste français, travaillait en 1876 dans les laboratoires Carlsberg. C'est Pasteur qui trouva la méthode de la pasteurisation : exposer le lait ou les liquides fermentés, comme la bière, à une température de 140° F (ou 60° C) pendant 30 minutes.

A Berlin, on trouve une boisson d'été rafraîchissante et fort intéressante, appelée Berliner Weisse. C'est une bière blonde, très légère, servie dans un verre ballon énorme et on y ajoute quelques onces de sirop de groseilles. Dans les restaurants élégants, on sert la bière Pilsen avec du champagne dans des verres élégants à haute tige. Les bières noires sont servies dans des gros verres à bourgogne. Les stouts, porters ou "black velvets" sont très élégants dans des gobelets d'argent ou d'étain bien froids ou même givrés. Dans les bars très chic en Europe, toutes les bières sont servies dans des gobelets d'argent.

Par exemple, la bière est un accompagnement idéal pour la cuisine mexicaine, qui est très épicée. Le "Smörgasbord" de la Scandinavie est traditionnellement accompagné de l'aquavit en plus de la bière, et pour la cuisine allemande, une "Schlachtplatte" ou un chou rouge, la bière est en vigueur.

Au Canada, nous avons de très bonnes bières. Si on les servait un peu plus élégamment, peut-être en compagnie d'une "split" de champagne, une dame pourrait se permettre d'en déguster en été, dehors sur une terrasse, par exemple, ce qui est parfaitement correct et chic. Mélanger la bonne bière avec du champagne est aussi un "party drink" qui, à mon avis, devrait être plus connu. Je pourrais voir un avenir pour cette boisson au Canada.

Le café

L'histoire ne dit pas d'une façon précise où le café a été consommé pour la première fois, mais il est très probable qu'il soit originaire du Yémen, bien que certains croient qu'il vient du Soudan. On dit que le mot "café" est dérivé de l'arabe "gahwa". En Afrique du Nord, même de nos jours, on désigne le café sous le nom de "gahwa", qui est le mot arabe pour désigner le vin, mais on appelle le café aussi très souvent le "vin d'Islam", et il se peut que "café" soit en réalité dérivé de ce mot arabe.

Souvent, on raconte une histoire, très probablement apocryphe, mais assez amusante pour être répétée. Il était une fois, quelque part au Yémen, avant le XIIIe siècle, un berger qui remarqua que ses chèvres étaient gaies et pleines de vie chaque fois qu'elles mangeaient les baies d'une certaine plante. Alors, il grilla ces baies et les infusa, et le café était découvert. En réalité, le café a été très populaire au XIVe siècle au Moyen-Orient. En Europe, les Italiens furent les premiers à l'essayer, et il commença à être connu en France, en Allemagne et en Angleterre vers la moitié du XVIIe siècle. Les cafés littéraires, surtout à Londres et à Paris, ouvraient leurs portes et on y voyait des grands poètes, des musiciens, des professeurs et des étudiants. Pendant l'Occupation, et après la guerre, quand le charbon était rare, le café artistique connut une renaissance, surtout à Paris, mais aussi à Vienne, où, au café Sacher, connu pour sa fameuse "Sacher Torte", on voyait des écrivains oeuvrer sur leurs manuscrits, car le café était chauffé, alors que leurs chambres ne l'étaient pas toujours. A Munich, dans le quartier de Schwabing, on voyait des étudiants, des cinéastes, des écrivains et des compositeurs dans les cafés. On y entendait beaucoup de discussions politiques. En effet, on disait que c'était dans les cafés que la révolution naissait. Lénine fréquentait les cafés de Schwabing pendant son séjour à Munich et il les utilisait comme lieu de rendez-vous avec ses disciples. Le mouvement hitlérien, de son côté, est né dans les Brauhaus, où on consommait de la bière.

En 1723, le gouvernement français chargeait le capitaine de Clieu d'apporter le premier plant de café en Amérique. L'histoire nous raconte qu'il partagea son eau avec la plante pendant ce long voyage et que, grâce à lui, le premier plant de café fut cultivé en Martinique et fut, comme on dit, l'ancêtre de la plupart des plants de café en Amérique. Les plantations de café en Amérique latine sont les plus importantes depuis le début du XIXe siècle. Il est peut-être intéressant de savoir que le café n'est pas goûté pour déterminer la qualité, mais que les grains de café vert sont en réalité examinés. Ce sont des professionnels qui connaissent leur travail, après un entraînement d'au moins trois ans, et il faut être non-fumeur. C'est un peu comme pour le vin : c'est aussi le pays, le climat et la plantation d'où viennent les grains de café qui sont importants pour la qualité et l'arôme de ce produit.

Le café au lait, si fameux en France, servi au petit déjeuner, avec des croissants, vient en réalité de Vienne et a été introduit, d'abord en Allemagne, et plus tard en France, par un médecin allemand. Le vrai café au lait est filtré avec du lait au lieu de l'eau. Cette méthode assure un café au lait plus savoureux que si on ajoute du lait au café déjà filtré à l'eau.

Le café turc se prépare de la façon suivante : on met dans une casserole en cuivre (ou dans un "ibrik" : le pot en cuivre avec un long manche utilisé en Turquie) autant de cuillerées de café moulu en poudre qu'il y a de petites tasses (demi-tasses) à remplir. On double la quantité de sucre. On verse petit à petit l'eau bouillante, jusqu'à ce que le mélange soit comme une vraie "crème". On ajoute assez d'eau pour le nombre de tasses. On chauffe jusqu'au point d'ébullition dans la même casserole. On retire du feu, et on réchauffe.

Quand il est gonflé pour la deuxième fois, on le laisse reposer et on y jette quelques gouttes d'eau froide ; et on sert avec un zeste de citron, au goût.

A Vienne, au fameux Café Sacher, il existe un véritable menu des différentes façons de préparer le café ; un garçon me disait, une fois , qu'il existait 150 différentes préparations. Le café "viennois" est un café fort et filtré, aromatisé à la cannelle, avec un "Schlagober" (crème fouettée et sucrée sur le café bien chaud). Et à Vienne, on vous sert toujours un verre d'eau froide avec votre café, comme en Italie avec la crème glacée.

- Aromatisez le café à la vanille et ajoutez de la crème fouettée.
- Souvent en Italie, comme à Marseille, on boit le café avec l'anis et le pastis, pour se réveiller.
- Le café Highland a du whisky ou du Drambuie d'ajouté ;
- Le café mexicain, de la kahlua ;
- Le café russe, de la vodka ;
- Le café normand, du calvados ;
- Le café royal, du cognac (ou du brandy) ;
- Le café irlandais (ou gaélique) est préparé comme suit : chauffez le verre, ajoutez le whisky, plus le sucre, remplissez le verre avec le café noir filtré, et très fort, jusqu'à 1 pouce du bord. Ajoutez la crème fouettée, décorez avec du chocolat râpé.
- Moka : café très fort et filtré ; ajoutez du chocolat en sirop réchauffé, servez avec sucre et crème 35 p. cent. (Moka est un grand centre de production de café près d'Aden, au Yémen, au point sud de la mer Rouge.)
- Le café romain : un verre comme pour le thé glacé ; ajoutez une boule de crème glacée à la vanille, du café froid très fort, noir et filtré, 1 1/4 once de liqueur Sabra, de la crème fouettée, et saupoudrez de cannelle.

— Le café Galliano : ajoutez 4 c. à thé de liqueur Galliano dans une tasse de café très fort ("espresso") ; ajoutez un zeste de citron.

— Cheri-Suisse : dans une tasse de café très fort, ajoutez 6 c. à thé de liqueur aux cerises. Ajoutez de la crème fouettée et un peu de chocolat râpé.
— Le café glacé à la Marguerite : un verre comme pour le thé ; ajoutez 1/3 de verre de cubes de glace, 1 1/4 once de Grand Marnier, ajoutez le café froid, très fort, noir et légèrement sucré. Garniture : la crème fouettée et une tranche d'orange; délicieux !
— La "demi-tasse" après le dîner peut être aromatisée avec des cubes de sucre trempés dans de la vodka (ou cognac).
— Ajoutez à la "demi-tasse" 1 once de crème de menthe, ou Curaçao, ou Cointreau, ou rhum, ou Sabra.
— Réfrigérez le café fort (ou le thé) dans les plateaux de cubes à glace. Ceci vous donne un café (ou thé) glacé instantané en été.
— Le meilleur café est filtré à l'eau minérale (non gazeuse !).
— Une c. à thé par tasse.
— Une c. à thé par demi-tasse est nécessaire pour faire un bon café.
— Achetez le café non moulu et moulez au fur et à mesure. Le café doit être frais ; on le garde au réfrigérateur dans une boîte bien fermée. On peut congeler le café.
— Les taches de café sur les vêtements s'enlèvent si on étend le tissu et fait couler de l'eau bouillante d'une distance d'au moins 1 pied.
— Les taches sur le bois s'enlèvent avec de l'alcool.
— Les taches sur un tapis s'enlèvent avec de l'eau bouillante et un torchon propre.

Le thé

Le thé, comme tout le monde le sait, est très ancien, et vient de la Chine. On attribuait au thé des propriétés curatives et on disait généralement qu'il assurait une longue vie. La dose était de 2 tasses prises à jeun. Le thé a été découvert en Chine en l'an 2737 avant J.-C., mais exporté pour la première fois en Italie seulement en 1590, et peu après en Hollande. Vers 1630, le thé arrivait en France et en Allemagne. La première grande vente publique de thé a été organisée en Angleterre en 1657 et, 20 ans plus tard, l'Angleterre en importait déjà des quantités impressionnantes. On parle de la fameuse "course au thé" qui était une prime officielle pour le navire qui rapportait le plus de thé et le plus rapidement. Le fameux "high tea" était déjà connu et remplaçait parfois les grands dîners, mais consistait en des menus très élaborés avec vins, champagnes, punchs, pâtés, viandes, volailles, gibier, douceurs, fruits, noix, etc.

La Russie est l'autre nation de l'Europe qui devenait grande amatrice de thé. Le thé a toujours été très bon marché en Russie puisqu'il parvenait par le transsibérien (chemin de fer). Le samovar est presque devenu un emblème de la Russie. Le vrai samovar est chauffé avec charbon de bois et il ne s'éteint jamais. Ce n'est pas un pot à thé, mais seulement un contenant qui garde l'eau à la température exacte pour faire le thé à l'instant voulu. Le samovar en argent, qui avait son propre pot à thé en argent placé au-dessus, se trouvait chez nous dans un salon spécial où on se réunissait pour le thé. Il était placé sur un grand plateau en argent où on trouvait différentes variétés de thé dans leurs merveilleuses "boîtes" incrustées de pierres précieuses, dont une était fabriquée par Fabergé, avec un petit plat en or pour les tranches minces de citron et une coupe en cristal avec cuillère en cristal pour la confiture aux cerises, que l'on préférait pour sucrer le thé (au lieu du sucre en cubes). Les boîtes pour le thé doivent être faites en métal, car la lumière altère le thé dans un pot de verre ou de porcelaine. Il y avait toujours des variétés de petits zakuskis, et aussi des biscuits, surtout une variété allemande, "Spritzkuchen" (voir recette plus loin). Les tasses, en porcelaine tellement fine qu'on pouvait voir à travers, étaient placées à côté, et personne d'autre que ma mère ne touchait le thé. Même aujourd'hui, dans notre société très modernisée, tenant compte des conditions très libres particulières au continent nord-américain, le service du thé est une cérémonie, et il devrait être servi par la maîtresse de maison.

La qualité d'eau est (comme pour le café) très importante pour un thé bien réussi. L'eau minérale (non gazeuse !) est recommandée, ou, comme en Chine, l'eau de source ; au Japon, l' "eau du thé de l'empereur" venait d'un fleuve très pur près du palais de l'empereur.

Les Arabes servent le fameux thé à la menthe, qui est préparé avec le thé vert, très sucré, très chaud ; on place une bonne quantité de brins de menthe fraîche dans chaque verre.

Au Maroc, on sert avec le thé à la menthe les fameuses "cornes de gazelle", une délicieuse pâtisserie aux amandes qui ressemble vraiment aux cornes de ce très gracieux animal.

Une variété de cette boisson classique, que je sers souvent, surtout en été, puisque le thé chaud rafraîchit énormément, est préparée avec le thé Darjeeling, très sucré, et de la menthe fraîche, et servie de la même manière que le thé servi par les Arabes.

Les Français aiment surtout le café ; les Anglais, le thé. Les Etats-Unis furent des amateurs de thé, mais se convertirent au café après le fameux "Boston Tea Party" qui eut lieu le 16 décembre 1773, et se trouvent aujourd'hui, après la Suède, parmi les plus grands consommateurs de café.

La classification du thé est divisée en 3 catégories : noir, vert et oolong. Tous les trois proviennent de la même plante, mais sont différents par leur préparation. Le noir est traité par une sorte d'oxydation qui rend les feuilles noires. Pour le vert, l'oxydation est omise ; et pour le oolong, c'est un compromis entre le vert et le noir, un semi-procédé, avec le résultat que les feuilles restent entre le vert et le noir. Le thé consommé est pour la plupart un mélange de 20 à 30 différentes sortes de thé, sélectionnées sagement par des experts; et, comme pour le vin, on apprend les finesses d'un thé seulement en l'essayant et en le dégustant.

Autrefois, le meilleur thé était cueilli fin février début mars. Il était réservé aux très riches, et il était appelé "thé impérial". L'histoire de la table nous raconte que ce thé était consommé en Chine seulement par l'empereur. Il était interdit à toute autre personne, sous peine de mort, de boire de ce thé. Les feuilles étaient cueillies par des travailleurs avec des gants propres ; on les changeait au fur et à mesure qu'ils se salissaient, on veillait à ce qu'ils se lavent les mains (en plus de porter des gants propres), et on leur interdisait même certains aliments afin d'éviter que leur haleine flétrisse les feuilles de thé.

Le thé du Ceylan fut connu beaucoup plus tard et il est aujourd'hui le plus grand concurrent du thé venant de la Chine.

Comment faire une bonne tasse de thé ?

— la théière est utilisée seulement pour le thé

— toujours rinser la théière avec de l'eau bouillante avant la préparation du thé

— toujours prendre de l'eau froide qui est amenée à ébullition (jamais de l'eau chaude qui vient du robinet !)

— ne jamais laisser bouillir l'eau trop longtemps

— utilisez assez de thé : une c. à thé par tasse plus une pour le pot

— ajoutez l'eau bouillante sur le thé ; si possible, employez de l'eau minérale (Evian, par exemple)

— laissez reposer 3 à 5 minutes

— placez la théière dans un contenant d'eau chaude pendant ce temps. Le thé doit être servi très chaud.

— En Angleterre, on verse du lait chaud dans la tasse, on ajoute le thé après. Ceci n'est pas une question d'étiquette, mais seulement une garantie que le lait se mélange uniformément avec le thé.

— Miel et limettes sont souvent servis avec le thé.

— En Chine, le thé est préparé dans chaque tasse séparément, et la soucoupe est placée sur la tasse pendant que le thé est infusé.

— Le thé anglais de 5 heures est appelé aussi "low tea" (contrairement au "high tea" qui est, lui, un souper). Il est toujours accompagné de sandwichs miniatures et aussi de petits fours miniatures.

— L'heure du thé à l'hôtel Plaza, à New York, dans le Palm Court, est une vieille tradition qui a beaucoup de charme et une certaine noblesse. On s'y retrouve pour profiter de l'ambiance chic et un peu recherchée.

— Le Ritz Carlton, à Montréal, surtout dans son jardin d'été, sert un très joli petit thé vers 4 heures de l'après-midi avec une variété de petits sandwichs et des pâtisseries. L'ambiance est élégante, reposante, et le décor est très joli.

— Le thé glacé est fait d'après les mêmes règles que le thé chaud. Seulement, faites-le plus fort, car les glaçons le diluent. Par exemple, pour 4 tasses de thé chaud, vous avez besoin de 4 c. à thé plus une pour le pot : 5 cuillerées; pour le thé glacé, vous avez besoin de 6 cuillerées (un sachet: 1 cuillère, mais on ne les utilise pas pour les invités).

— Il existe une méthode de préparation de thé glacé avec de l'eau froide. Pour une pinte d'eau froide, ajoutez 10 cuillerées de thé. Laissez à la température de la pièce au moins 6 heures (mieux, pendant toute la nuit). Filtrez et servez dans des verres avec de la glace, des tranches de citron, de la limette, ou des brins de menthe fraîche et du sucre en poudre à volonté.

— Thé polonais : un verre de thé glacé très fort sur glaçons avec 1 1/4 once de Krupnik (une liqueur polonaise au miel). Servez avec du sucre en poudre et une tranche de citron.

— Placez un cube de sucre dans une théière qui n'est pas utilisée trop souvent. Le sucre élimine l'odeur de renfermé.

— Le thé glacé au gingembre : faites cuire la racine de gingembre à l'eau environ 5 minutes, filtrez, refroidissez et versez sur les glaçons. Servez avec miel et limettes.

— Un cocktail au thé qui peut être préparé à l'avance et servi à un party : (pour 12 verres) 4 verres de gin, 1 verre de Curaçao, 1 verre de vodka, 5 verres de thé fort et froid (de préférence Orange Pekoe du Ceylan), sucre à volonté, une pincée de piment rouge (attention !). Servez très froid avec une tranche de citron.

Recette du "Spritzkuchen"

1 tasse de beurre (mou)
1/2 tasse de sucre
2 1/4 tasses de farine
1/2 c. à thé de sel
1 oeuf
1 c. à thé de vanille

Chauffer le four à 400° F. Crémer beurre et sucre ; mélanger avec les autres ingrédients. Remplir une presse à biscuits avec 1/4 de la pâte à la fois et faire des formes variées sur une tôle à boulangerie sans graisse. Cuire pendant 6 à 9 minutes (ne pas faire brunir !). Donne environ 5 douzaines de biscuits.

Le chocolat

La découverte du cacao est ordinairement attribuée à Fernand Cortez, en 1519, au Mexique. On dit qu'il découvrit que les Aztèques avaient une passion pour le chocolat. Ils mélangeaient le cacao avec du piment rouge. Les Espagnols, qui importaient le chocolat du Mexique au milieu du XVIIe siècle, le mélangeaient avec du miel, de la cannelle, des clous de girofle, du sucre ou de la vanille, et c'était une boisson fort agréable. L'histoire nous raconte qu'à la cour de Montezuma, né en 1466 au Mexique, et qui devint l'empereur des Aztèques en 1502, on gardait toujours le chocolat dans des boîtes en or pur et que celui-ci était toujours fouetté avant d'être bu, et aromatisé à la vanille ou au miel sauvage en plus des épices "chaudes" comme le chili. Il était servi dans des coupes en or et avec grande cérémonie. Fernand Cortez emprisonna Montezuma à son arrivée au Mexique, mais plus tard il le garda auprès de lui comme conseiller personnel.

La reine Anne d'Autriche introduisit le chocolat en Italie et en France vers 1630, et, 30 ans plus tard, le chocolat arrivait en Angleterre.

Le chocolat en "bloc" ne fut connu qu'au XIXe siècle et introduit dans la fine cuisine. Les gâteaux au chocolat, les poudings et les desserts au chocolat eurent un grand succès, mais on utilisait aussi le chocolat pour brunir les sauces ; contrairement à ce qu'on peut penser, le chocolat ne donne pas une saveur douce, mais plutôt forte, et une couleur "ronde", comme le faisait remarquer Alexandre Dumas (1802-1870) dans son fameux *Grand Dictionnaire de Cuisine* publié après sa mort en 1873.

Henri de Toulouse-Lautrec nous recommande une "mayonnaise au chocolat", en réalité une "mousse au chocolat" : le chocolat suisse semi-doux (environ 1/2 livre) est mis dans une casserole avec un peu d'eau; laissez fondre lentement sur feu doux. Ajoutez environ 5 c. à soupe de sucre granulé, 1/2 livre de beurre non salé, 4 jaunes d'oeufs. Laissez refroidir. Fouettez les blancs d'oeufs et mélangez avec la mousse. Je sers ce dessert dans des verres ballons avec de la crème fouettée et du "Spritzkuchen" allemand que je décore avec le chocolat.

– Les chocolats suisses ont une très grande renommée. Le cacao et le chocolat hollandais ont plus de matières grasses et sont très riches en saveur.

– Chocolat glacé : laissez refroidir la boisson de chocolat chaud, ajoutez un peu de vanille (voir vanille maison). Versez sur des glaçons, ajoutez de la crème fouettée et servez avec des gâteaux secs.

– Chocolat mexicain : ajoutez au chocolat chaud un peu de café instantané, de la vanille et de la cannelle. Servez avec de la crème fouettée et des gâteaux secs.

– Chocolat à la guimauve : roulez un morceau de guimauve dans la cannelle et mettez sur le chocolat chaud.

– Gardez le chocolat au réfrigérateur, et emballez bien dans du papier d'aluminium ; évitez que le chocolat tourne au blanc (surtout en été !).

LES EPICES ET LES FINES HERBES

Le mot épice vient du latin "species", qui désignait toutes les épices produites par la terre ; après, on disait espèces aromatiques, et puis simplement espèces pour être certain qu'on voulait dire "condiments". Maintenant, on dit épices, ce qui représente en vérité un assaisonnement. L'expression "payer en espèces" vient du XIVe siècle, où les épices étaient souvent utilisées comme mode de paiement dans le commerce.

En effet, les épices, qui étaient très rares et très chères, servaient souvent aux souverains qui les offraient en cadeau au juge qui avait résolu favorablement une dispute ; on les offrait aussi pour une générosité reçue, ou à un hôte lors d'une invitation. Le safran est l'épice la plus coûteuse au monde ; le poivre vient immédiatement après le safran. Le poivre venait autrefois de Malabâr. Seuls les très riches pouvaient se permettre ces deux espèces qui coûtaient une fortune. On disait "cher comme le poivre", et on se servait du poivre spécialement pour payer les impôts. Plus tard, on payait les ouvriers européens avec des grains de poivre (1 livre représentait le salaire de 2 à 3 semaines de travail).

L'histoire du commerce des épices est en réalité une histoire de la grandeur et de la décadence des empires du passé. Il y a 4 000 ans, le commerce des épices commençait en Egypte et à Babylone. Les Phéniciens payaient en épices vers l'an 2000 avant J.-C. Alexandrie fut connue plus tard comme le centre du commerce des épices et elle le resta jusqu'au XVIe siècle. Les Romains et les Grecs importaient les épices et leurs mets furent connus par la quantité énorme d'épices utilisées. Apicius (1er siècle avant J.-C.), l'auteur du livre *Gourmet* très connu, recommandait les épices non seulement pour agrémenter la nourriture, mais aussi comme digestif et pour parfumer la maison, le bain, et pour la purification du corps.

Alexandre Dumas mentionnait que les épices stimulent non seulement le physique mais aussi l'intellect de l'homme. Il disait que les grandes oeuvres avaient été écrites seulement à cause de l'influence favorable des épices.

Les livres de la bonne cuisine au Moyen Age recommandaient qu'on utilise beaucoup d'épices pour donner du "caractère" aux mets lourds et monotones. Si on veut bien croire une note faite dans les annales de la cour de Frédéric II le Grand, roi de Prusse (1712-1786), on employait un "yeoman épicier" dont la seule responsabilité était de tenir compte des épices utilisées à la table royale. Frédéric II utilisait, comme l'histoire le raconte, le gingembre, la cannelle et les clous de girofle moulus "à la cuillère". Il était aussi un très grand buveur de café. Le matin, il buvait déjà 8 tasses de café très fort, au désespoir de son médecin. Venise, sous les Médicis, connut dès le Xe siècle une richesse incroyable résultant de son commerce d'épices. Le XIe siècle vit les Portugais et les Hollandais s'adonner aussi à ce grand commerce. En 1599, huit commerçants de Londres établirent une compagnie pour l'importation du poivre, mais les Hollandais avaient le monopole dans l'Extrême-Orient, et ce n'est qu'en 1795 que les Britanniques réussirent à le leur enlever, à l'exception de Java, cependant. L'exportation des épices des Antilles et de l'Amérique tropicale est aujourd'hui très importante. Les épices, en général, furent la raison des grands voyages, qui menèrent à la découverte du Nouveau Monde. Christophe Colomb découvrit à son deuxième voyage, en arrivant à Haïti, différentes sortes d'épices sauvages : gingembre, poivre et cannelle. Le poivre, qui était entièrement différent de celui des Antilles, devenait en effet très important pour le vieux continent.

Les fines herbes étaient déjà connues au moins au Ve siècle avant J.-C., et peut-être même avant. On les utilisait pour aromatiser les mets, mais aussi dans la préparation des médicaments.

Les Egyptiens, les Grecs et les Romains ont accordé une très grande importance aux herbes, surtout comme parfums, pour la purification du corps et dans les salades. Très souvent on les employait dans les mets chauds, non seulement pour aromatiser le plat, mais aussi pour parfumer la maison pendant la cuisson du repas.

Les Syriens prenaient le safran pour oindre leur corps. Même aujourd'hui, on voit la femme en Afrique du Nord qui s'embellit avec du safran. La menthe fut utilisée pour la même raison par les Grecs anciens. Les herbes les plus populaires de l'antiquité sont les mêmes que celles utilisées aujourd'hui dans la cuisine moderne : menthe, moutarde, anis, aneth, fenouil, graines de carvi, thym, persil, basilic, etc.

Les fines herbes devinrent de plus en plus populaires en

Europe pendant les XVIe et XVIIe siècles, surtout dans la préparation des médicaments et, en Angleterre, comme parfum fabriqué de la lavande.

Les petits jardins aux fines herbes, même ceux qui se trouvaient dans les fenêtres de la cuisine, ou dans des pots sur les balcons, ont inspiré la cuisine moderne. Il existe des livres et des recettes en grande quantité.

— **Le poivre** : le poivre noir est obtenu du grain entier, mais le poivre blanc, seulement du coeur du grain. Mélangez du poivre noir et du poivre blanc, et utilisez celui qui est fraîchement moulu pour obtenir de meilleurs résultats.

— **Le poivre vert** : les grains viennent de la plante "piper nigrum" et nous les connaissons plus familièrement sous la forme sèche, ce qui est simplement le poivre noir et le poivre blanc ! Les grains de poivre frais — le poivre vert — sont une trouvaille d'un cultivateur de Madagascar, qui inventa une méthode de conservation du poivre vert en boîtes à l'eau ou à la saumure. Leur saveur est délicieuse et leur arôme piquant en même temps. Il donne un goût frais et délicat aux mets assaisonnés avec du laurier, de l'ail et de la moutarde de Dijon, mais aussi à la cuisine orientale assaisonnée à la cannelle, au safran, au cumin et au gingembre.

Le fameux steak au poivre est un exemple favori de la haute cuisine. Un délice pour le connaisseur ! On moud environ 10 à 12 grains sur le steak des deux côtés avant la cuisson ; ou on étale un mélange de poivre vert écrasé plus la double portion de beurre non salé sur le steak après la cuisson. (Ce beurre peut être préparé en grande quantité et congelé.) La viande est salée comme à l'habitude. Si on aime le goût piquant, on peut ajouter du poivre noir moulu. Le poulet rôti avec beurre au poivre vert — surtout pour les Bar-B-Q — et le faisan au beurre de poivre vert sont appréciés dans la haute cuisine. Avant la cuisson, le poulet ou le faisan sont "enrobés" d'une couche épaisse de beurre au poivre vert. Si on aime l'ail, on peut en mélanger un peu dans le beurre. Le caneton au poivre vert est extrêmement populaire en France.

Le poisson au poivre vert ? mais oui !

Avec le poisson cuit au four ou poché, on sert une délicieuse sauce à la crème au poivre vert. Mélangez dans une casserole du beurre non salé avec des grains de poivre et remuez sur un feu doux; ajoutez de la crème 35 p. cent, du sel à volonté, et du persil haché. Servez avec le poisson et des tranches de citron.

Une fois que la boîte de grains de poivre vert est ouverte, ceux-ci doivent être transvidés dans un bocal de verre et ils doivent être gardés sous l'eau, qu'on change de temps en temps. Le poivre vert se garde plusieurs mois au réfrigérateur. Si les grains ne sont pas entièrement recouverts d'eau, ils sèchent, et deviennent du poivre noir qui peut être moulu.

— **Paprika** : les coquilles sèches et moulues des poivrons rouges. La meilleure qualité : le paprika hongrois et le paprika espagnol. N'ajoutez pas de poivre aux mets déjà assaisonnés avec du paprika. Le poivre peut faire disparaître son goût raffiné.

— **Chili** : piment rouge très petit, extrêmement piquant (existe aussi en poudre).

— **Pimento** : petit poivron rouge doux préservé dans l'huile (d'olive).

Nous associons le poivre surtout aux plats de résistance, mais cette épice s'emploie aussi merveilleusement dans certains gâteaux et desserts.

— **Les fraises au poivre noir** : macérez des fraises fraîches dans du Grand Marnier pendant une heure. Juste avant le service, moulez un peu de poivre noir sur les fraises macérées, ajoutez du sucre au goût, placez dans des verres ballons et servez avec de la crème fouettée et quelques biscuits boudoirs arrosés de Grand Marnier. Délicieux ! (On peut aussi prendre du Cointreau.)

— **Le safran** : c'est le plus cher des assaisonnements au monde. Une livre de safran coûte plus cher qu'une livre d'or. Il est aussi le plus ancien de tous les assaisonnements connus. Le safran est mentionné dans le *Cantique des Cantiques* de Salomon ; et on croyait dans l'antiquité qu'aucune jeune fille ne pouvait résister à son amant si elle avait pris du safran pendant 10 jours consécutifs. On utilisait le safran pour colorer les mets et pour leur donner un goût spécial. Le safran était employé pour parfumer le bain, comme teinture pour les vêtements, comme maquillage, dans les médicaments, et comme antidote contre l'ivresse. Au Moyen Age, le safran était utilisé pour arroser le parterre dans la salle à manger, au cours des banquets, et même les rues étaient arrosées de safran lorsqu'une haute personnalité y passait. Le safran était d'une telle importance que les Arabes défendaient, sous peine de mort, l'exportation de la plante, qui poussait autour de la Méditerranée.

C'est la plante "crocus sativus", couramment appelée

"crocus", qui produit 3 stigmates chacune. Les stigmates sont les petits filaments orangés qui doivent être cueillis à la main. On a besoin de 225 000 stigmates pour faire une livre de safran (75 000 fleurs). Aujourd'hui, le safran vient en majeure partie de l'Espagne et il est moins cher que le "vrai" safran, mais il donne presque les mêmes résultats.

Correctement employé, on a besoin seulement d'une très petite quantité de safran pour faire un bon plat ; on peut parler de la quantité prise entre deux doigts pour faire une casserole pour 4 personnes, par exemple. Le safran est arrosé d'eau chaude (environ 1/2 tasse) qu'on laisse reposer pendant une heure avant d'utiliser. On ajoute le liquide (avec les petits stigmates) avant la cuisson. Attention aux taches !

Il y a de très bonnes recettes au safran (voir mon livre *l'Art de la table*). Il ne faut pas confondre le safran avec une poudre jaune qui est souvent vendue sous le nom de safran.

Le safran ne donne pas seulement une très jolie couleur jaune, mais aussi une saveur très délicate, qui n'est pas du tout piquante, comme on le croit souvent.

Le sel : on peut dire sans exagération que le sel a été un ingrédient vital dans l'alimentation de l'homme depuis le début de la création, du moins depuis le début de l'histoire connue. Le "sel de la terre" fut considéré comme un présent digne des dieux. Les Hébreux, les Grecs et les Romains employaient le sel pour les cérémonies religieuses, pour la nourriture sacrée servie à leurs héros, et comme symbole de l'amitié et de l'hospitalité. Le gâteau de noce chez les Romains était une sorte de galette salée. Le sel était d'abord une nécessité biologique et, en second lieu, un assaisonnement pour rendre le goût des aliments plus agréable. Même aujourd'hui, nous savons qu'une diète sans sel nous oblige, au moins pendant les mois très chauds, à prendre des aliments salés parce que la transpiration enlève du corps le sel naturel qui doit être remplacé. Ordinairement, ce sont les aliments qui contiennent le sel essentiel pour le corps humain, comme la viande, par exemple ; mais si une diète consiste seulement de légumes et de céréales, qui contiennent très peu de sel, il est essentiel de fournir les sels minéraux pour remédier à une déficience.

Puisque le sel est d'une telle importance pour le bien-être de l'homme, il est donc d'une très grande importance dans l'économie mondiale. Ceci nous mène au rôle politique que le sel a toujours joué. Le sel a même été une arme administrative, menaçante parfois, à travers l'histoire.

Le mot salaire vient du latin "salarium", parce que le premier salaire payé aux soldats romains par le gouvernement était le sel. La quantité de sel était calculée dépendant de la valeur des services rendus à l'Empire. C'est de là que vient l'expression "valoir son sel".

L'exploitation des mines de sel et le commerce du sel, depuis les temps primitifs, ont été soumis à une taxe gouvernementale, et, même au XXe siècle, le sel est encore sous le monopole gouvernemental de l'Inde britannique. Rappelons-nous l'une des grandes manifestations politiques de notre siècle qui eut lieu en 1930 lorsque Gândhi marcha vers Dandi pour produire du sel illégalement.

— Le sel gemme, moulu frais dans un moulin à sel, est, comme le poivre moulu frais, le meilleur pour assaisonner les aliments.

— Le sel à gros grain, très connu en France, est très similaire au sel "Kosher" qui est disponible au Canada. On utilise environ 1 1/4 fois la quantité du sel ordinaire. Le sel à gros grain accompagne le fameux pot-au-feu dans la cuisine française. Les Halles, restaurant français de Montréal, servent ce sel avec ce plat traditionnel.

— Les sels assaisonnés à l'ail, aux oignons et aux fines herbes sont très savoureux.

— **La moutarde** est, comme tout le monde le sait, un mélange de graines d'une plante herbacée (en latin : "sinapis alba"), de vinaigre et d'aromates. Elle est pratiquement aussi vieille que le monde, et il est question de la graine de sénevé dans la Bible.

Les Grecs et les Romains la connaissaient et les Anglo-Saxons avaient l'habitude de faire sauter les graines de moutarde dans le jus de raisin (aujourd'hui, le vinaigre). Au XIVe siècle, la fameuse moutarde de Dijon était connue et très appréciée !

La moutarde est originaire de l'Asie du Sud-Ouest et de l'Europe, mais, de nos jours, le Canada produit de grandes quantités de moutarde. Deux variétés sont utilisées : la moutarde noire, en réalité une moutarde brune, et la moutarde blanche, qui est d'une couleur jaune. Toutes les deux possèdent les mêmes caractéristiques.

— **La moutarde sèche** est faite de graines de moutarde moulues.

— **La moutarde préparée** est un mélange de moutarde moulue, de sel, de vinaigre, d'épices et d'autres fines herbes. Parfois, le poivre est ajouté, ou d'autres condiments, qui donnent un goût fort, allant jusqu'à très fort, par exemple, la moutarde anglaise et une moutarde allemande très claire, mais extrêmement forte. Une moutarde bavaroise est mélangée avec du sucre et des fines herbes ; elle est très douce, presque sucrée, de couleur brune foncée, et elle accompagne les fameux saucissons "Weisswürstl" qui sont servis à Munich et qui, d'après la tradition, doivent être mangés seulement à partir de minuit jusqu'avant midi le lendemain. On les sert au fameux carnaval de Munich et à la fête de la bière, "Oktoberfest", et dans le "Hofbräuhaus".

— **Les graines de moutarde** sont utilisées en entier pour les marinades.

— **Le romarin** : à mon avis, c'est peut-être la plus belle de toutes les fines herbes ; irrésistible, jamais agressive, elle a un arôme qu'on ne peut oublier. Le "rosmarinus offinalis", comme les Latins l'appelaient, est indispensable pour la cuisson d'un poulet ; et dans la cuisine italienne, un rôti sans romarin n'existe pas. Les Italiens ont une passion pour cette herbe, qui, comme toutes les fines herbes, est meilleure plutôt fraîche que sèche. Le romarin est bon pour assaisonner l'agneau, le porc, le poisson et le veau. Mais, surtout et avant tout, il suffit de goûter un poulet au romarin une seule fois pour en vouloir davantage ; et l'usage du romarin avec les aubergines, les haricots, les courges d'été et les navets nous fait apprécier ces légumes d'une façon nouvelle et inattendue.

Le romarin peut aller de pair avec d'autres épices et fines herbes, et particulièrement bien avec : l'ail, les piments doux, et d'autres herbes et épices comme le poivre, le gingembre et le piment.

– **Le thym** est une des fines herbes favorites dans la haute cuisine et, avec le vin et le laurier, la base de la cuisine française. D'un parfum délicat et puissant en même temps, il devrait être employé "courageusement".

En réalité, le thym vient de la cuisine créole provenant du vieux quartier français de la Nouvelle-Orléans. Il existe des plats comme les "gombos" et les "jambalayas", qui sont un mélange de la cuisine française au thym et de la cuisine espagnole aux feuilles de sassafras, une épice plus piquante qui, à l'origine, servait dans les médicaments.

Le thym se vend en feuilles entières ou moulu. On l'emploie pour assaisonner les ragoûts, les farces, les soupes, le poisson, les fruits de mer, le poulet, les tomates et surtout dans les oignons à la crème.

– **Le laurier** : dans l'antiquité, le "laurus nobilis" fut consacré à Apollon, fils de Zeus et de Léto, frère jumeau d'Artémis, et dieu du soleil, de la musique, de la poésie, de la médecine et des beaux-arts. On couronnait les héros et les étudiants en médecine avec le laurier au moment de leur réussite aux examens. Le mot baccalauréat vient du latin "bacca laurea" : baie de laurier. (Les torches de la flamme olympique sont faites avec des feuilles de laurier.) Le laurier est un petit arbre, toujours vert, qu'on trouve sur les bords de la Méditerranée. Ses feuilles ont leur place établie dans les beaux-arts et dans la fine cuisine, qui est elle-même une forme d'art. On s'en sert pour donner à certains plats une saveur délectable. Ensemble, les feuilles de laurier et de thym font une création originale d'un simple plat de viande, de poisson ou de volaille.

— **Le basilic** a une saveur à la fois douce et piquante. Les recettes italiennes pour la lasagne et la pizza, parfois pour les sauces à spaghetti, comme Pesto, la sauce fantastique, sont à base de basilic. Celui-ci se marie à la perfection aux côtelettes d'agneau, aux légumes comme le brocoli, aux courgettes et surtout aux tomates fraîches. Les tomates en tranches à l'huile d'olive, sel, poivre, un peu de vinaigre à l'estragon, et le basilic frais haché et du persil : une salade d'été "royale". En Italie, on arrange très souvent quelques brins de basilic dans un vase, placé sur la table. Le basilic est le symbole de l'amour.

— **L'estragon** : "artemisia dracunculus" en latin parce que la forme de ses racines rappelle un dragon. "Estragon" est d'origine arabe, d'un mot signifiant "petit dragon". En réalité, la plante vient de la Sibérie et de la Mongolie chinoise. A travers l'Orient et le Proche-Orient, l'estragon arriva en Europe et fut acclamé dans la fine cuisine française : on dit qu'un peu d'estragon "ajoute du charme aux plats", surtout le poulet, la dinde, le veau et les plats délicats de certains poissons. L'estragon, combiné avec le persil et la ciboulette, le poivre noir, le poivre blanc et le laurier, fait un assaisonnement délicieux.

— **La graine de carvi** est une épice très populaire surtout en Europe du Nord et en Europe centrale (voir aussi : **Aquavit**). Les Allemands et les Hollandais utilisent les graines de carvi en grande quantité, mais on trouve de très bonnes recettes au carvi dans la cuisine viennoise et aussi dans la cuisine anglaise. Le chou rouge, le chou blanc, le chou vert et la choucroute sont impensables sans graines de carvi, aussi bien que certains pains et, bien sûr, les fameuses pommes de terre aux graines de carvi (voir mon livre *l'Art de la table*). Le carvi est fameux pour le porc, les ragoûts et quelques fromages. Le hareng mariné et assaisonné au carvi est un mets traditionnel en Angleterre.

– **La graine de cumin** est très souvent confondue avec la graine de carvi, mais c'est tout à fait autre chose. Malgré que les petites graines se ressemblent beaucoup quand on les regarde, lorsque dégustées, elles ne se ressemblent plus du tout.

L'histoire de la graine de cumin remonte aux temps de l'antiquité, où l'on payait souvent la dîme avec la menthe, l'anis et le cumin. Originaire d'Egypte, on trouve aujourd'hui le cumin en Iran, au Maroc, au Liban et en Syrie. Le fameux Michoui du Maroc est servi avec les graines de cumin moulues et mélangées avec du sel (voir : **La viande**).

Le cumin est un ingrédient utilisé dans la poudre chili et aussi dans le curry. Au Canada, on utilise le cumin surtout pour aromatiser le porc.

– **La menthe** est utilisée depuis l'antiquité. Elle est originaire de la Méditerranée et elle était considérée chez les anciens comme le symbole de l'amitié. On l'utilisait comme décoration de table et même pour frotter la table afin de lui donner ce parfum frais de la menthe. On frottait aussi le parterre des salles à manger, ainsi que les pièces de séjour. Les bains étaient parfumés avec l'huile de la menthe fraîche.

La menthe fraîche est très recherchée pour aromatiser le thé (voir : **Le thé**), elle est délicieuse dans les salades vertes, pour les boissons fraîches d'été, comme décoration des plats (voir : **LA DECORATION**), dans les glaçons qui accompagnent les boissons et dans les desserts congelés et les bonbons. La menthe se marie délicieusement au chocolat (les chocolats à la menthe "After Eight" sont les plus renommés) et à plusieurs fruits.

Nous connaissons tous les infusions à la menthe qui nous reposent, nous rafraîchissent et, comme on dit, nous font bien dormir. Le thé à la menthe au miel est bon contre la toux et les rhumes en général.

— Pour protéger la qualité aromatique des épices et des fines herbes :

  — fermez le récipient hermétiquement après chaque usage ;

  — gardez les épices dans l'endroit le plus frais, le plus sec et le plus sombre de la cuisine ;

  — gardez les épices loin de la chaleur de la cuisinière ;

  — gardez les épices loin des rayons du soleil.

— Congelez les fines herbes : le basilic, la ciboulette, le fenouil, la marjolaine, l'estragon, le thym, sont les plus faciles à congeler. Lavez les herbes, trempez dans l'eau bouillante et ensuite dans l'eau glacée, placez dans des sacs en plastique et congelez. Le persil se congèle très difficilement — sinon pas du tout — mais il se garde bien dans des sacs en plastique après avoir été bien lavé et égoutté.

— Les fines herbes qui restent peuvent être ajoutées au vinaigre de vin pour une saveur intéressante.

— Beurre aux fines herbes : ajoutez au beurre mou de la ciboulette hachée ou du cresson haché, ou une combinaison d'herbes différentes. Ajoutez quelques gouttes de jus de citron.

— L'aneth frais, à mon avis, est indispensable avec les haricots verts et les concombres.

— Le persil est une herbe qui ne devrait manquer dans aucune cuisine. Indispensable pour les décorations et pour absorber les odeurs de la cuisine (voir : **LA DECORATION**).

DES HERBES FRAICHES QUE VOUS POUVEZ CULTIVER A L'INTERIEUR

ANETH (*Anethum graveolens*)

Culture : Plein soleil, terre riche, peut être cultivé sur le bord d'une fenêtre, dans son pot individuel.

Usage : Garnir sandwichs avec brins de feuilles, aussi le poisson et les plats à la crème sure. Graines sèches dans la choucroute, les conserves au vinaigre, les sauces au poisson, et les salades.

SAUGE (*Salvia officinalis*)

Culture : Plein soleil, terre plutôt sèche, et bien drainée. Après la première année, coupez pour encourager une nouvelle croissance.

Usage : Avec farce pour poulet, porc, veau. Trempez les feuilles dans la pâte, faites frire et servez avec du bacon.

BASILIC (*Ocimum basilicum*)

Culture : Plein soleil, pas trop sec, endroit chaud, dans son pot individuel. Ne laissez pas fleurir : les feuilles durcissent ; la plante meurt après être venue en graines. Coupez pour encourager la pousse de branches latérales.

Usage : Les feuilles fraîches rehaussent les salades, les plats de tomates.

ROMARIN (*Rosmarinus officinalis*)

Culture : Endroit frais et ensoleillé (60° F), humide ; ne pas laisser sécher ; dans un gros pot, avec bon drainage.

Usage : Ecrasez les feuilles avec un pilon ou au "blender" pour amollir la texture et faire ressortir les huiles volatiles. Pour assaisonner les viandes, les biscuits, les tranches d'orange.

CITRONNELLE *(Melissa officinalis)*

Culture : Au soleil ou à l'ombre, terre humide comme sa cousine la menthe, dans son pot individuel.

Usage : Garniture pour sorbet, pour assaisonner les breuvages chauds ou froids. Jetez une feuille dans l'eau du bain pour un arôme de citron.

MENTHE (*Mentha piperita*)

Culture : Au soleil ou à l'ombre, beaucoup d'eau (la seule herbe qui aime ses racines mouillées). Pot individuel, profond ; séparez les différentes variétés de menthe.

Usage : Feuilles de menthe poivrée et menthe verte comme garniture dans le thé glacé , la limonade ; pour assaisonner salades, agneau, pois, carottes.

VERVEINE (*Lippia citriodora*)

Culture : Lumière (pas de soleil), humidité, endroit frais, dans son pot individuel.

Usage : Garniture pour breuvages, salade de fruits, citron. Joli dans petits bols pour laver les doigts, dans l'eau du bain. Faites sécher pour le thé.

PERSIL (*Petroselinum crispum*)

Culture : Endroit frais, ensoleillé, pas trop sec ; tolère l'ombre. A besoin de son propre pot profond à cause de ses longues racines. Faites tremper la graine 24 heures avant de semer.

Usage : Tige et feuilles comme garniture pour oeufs, viandes; hachées sur les oeufs, la viande, les champignons, les légumes.

LAURIER (*Laurus nobilis*)

Culture : Lumière (pas de soleil). Terre riche, pas trop sèche, dans son pot individuel. Plante qui pousse lentement. Coupez les feuilles latérales seulement.

Usage : Feuille sèche rehausse la soupe, le poisson, les casseroles, la viande, les légumes. Note : ne pas confondre avec le laurier des montagnes, qui est vénéneux.

SARRIETTE (*Satureja montana*)

Culture : Beaucoup de soleil, terre légère, endroit frais ; coupez les feuilles à volonté.

Usage : Fameuse avec fèves, rehausse la soupe aux pois, le poisson, les salades, les pains de viande, la sauce au beurre pour légumes.

MARJOLAINE (*Origanum majorana, M. hortensis*)

Culture : Beaucoup de soleil, terre plutôt sèche et bien drainée ; pousse bien avec la sauge, l'estragon et le thym anglais, qui poussent dans les mêmes conditions.

Usage : Avec viandes, volaille, pois, oeufs, champignons.

CORIANDRE (*Coriandrum sativum*)

Culture : Endroit frais et ensoleillé, pas trop sec ; pour les jeunes feuilles, coupez comme le persil lorsque 6" de haut. Pour obtenir les grains, laissez pousser à maturité, récoltez lorsque sec.

Usage : Les jeunes feuilles sont essentielles à plusieurs recettes mexicaines, portugaises, chinoises et indiennes. Les feuilles ne sèchent pas bien et ne se conservent pas non plus ; à utiliser immédiatement.

THYM (*Thymus vulgaris*)

Culture : Beaucoup de soleil, terre plutôt sèche et bien drainée ; pousse bien avec la sauge, l'estragon et le thym anglais, qui poussent dans les mêmes conditions.

Usage : Délicieux frais ; meilleur séché que congelé. Avec poisson, viandes, assaisonnements, mais utilisez en petite quantité.

CERFEUIL (*Anthriscus cerefolium*)

Culture : Soleil ou ombre, humidité ; déteste le soleil chaud. Coupez au ras du sol, tout en laissant quelques tiges pousser.

Usage : Favori en France et une des fines herbes classiques (les autres sont : ciboulette, persil et estragon) ; pour soupes, omelettes, fromage à la crème, salades de légumes.

ESTRAGON (*Artemisia dracunculus*)

Culture : Beaucoup de soleil, mais tolère l'ombre ; terre sèche et bien drainée. Il est essentiel de commencer la culture avec une petite plante.

Usage : Pour sauce béarnaise, poisson, poulet. Perd sa saveur si séché. Faites du vinaigre à l'estragon pour les salades.

CIBOULETTE (*Allium schoenoprasum*)

Culture : Beaucoup de soleil, terre grasse, endroit frais, pot individuel.

Usage : Varié comme les oignons. Meilleure fraîche, mais on peut la garder hachée et congelée. La fleur n'affecte pas la saveur ; bonne à manger.

ENTRETIEN DE LA MAISON

Linge maison

Réservez une armoire, un placard ou autre meuble à tiroirs, ou des tablettes, et mettez quelques boules de lavande (voir : **Décorations de Noël**) pour donner une odeur fraîche.

Gardez toujours sous la main des mouchoirs de papier ou du papier de soie pour mettre dans les plis ou pour envelopper le linge afin d'éviter qu'il jaunisse.

Le papier de plastique est très bon pour envelopper les nappes de table qu'on n'utilise pas souvent. Aussi pour les serviettes de table, surtout en damas.

Roulez sur des tubes vos nappes de table qui servent pour les invitations officielles, ou mettez-les sur des cintres et enveloppez-les avec du plastique, pour éviter que les plis ne se salissent.

La couleur bleue foncée empêche le linge fin de jaunir :

— enveloppez dans du papier bleu foncé et mettez ensuite dans un sac en plastique ;

— ou dans un sac de tissu bleu foncé ;

— on peinture l'intérieur de l'armoire en bleu foncé ou on met une doublure d'un imprimé bleu foncé ;

— en Autriche, ceci est même très chic et on voit beaucoup d'armoires à linge tapissées avec de très jolis tissus à motifs floraux bleus et rouges.

Les meubles en cèdre ne sont pas recommandés pour le linge blanc ; les vapeurs du cèdre font jaunir le linge.

Les nappes sont parfois pliées à l'envers. Ce n'est pas une question d'étiquette, mais plutôt une question pratique. Si les plis se salissent (à cause du temps), on ne les voit pas une fois la nappe posée à l'endroit sur la table. (Personnellement, je n'aime pas trop cette façon, mais évidemment, elle est pratique pour la femme moderne sans aide !)

— Essayez de plier le linge de bonne qualité de façon différente après chaque lavage. Ceci empêche l'usure aux mêmes endroits.

— Pliez les petites serviettes en carré ; les serviettes pour le lunch et le dîner sont pliées en triangle.

— Gardez les napperons avec leurs serviettes dans des sacs de plastique pour les garder ensemble et propres.

Les taches de vin : trempez dans l'eau froide, saupoudrez avec du sel (ou frottez avec un demi-citron), laissez jusqu'à ce que le sel (ou le jus de citron) et le linge soient complètement secs et lavez comme d'habitude (en ajoutant Borax ou Borateem).

Pour toutes les taches : laissez tremper toute une nuit dans l'eau froide avant de laver.

L'odeur de renfermé disparaît si on trempe le linge dans l'eau froide avec du jus de citron avant le lavage.

Enlevez les taches de cire en mettant un morceau de papier buvard sur la cire et repassez avec un fer frais. Laissez couler l'eau très chaude au travers de la tache, et lavez comme d'habitude.

Rouge à lèvres sur serviettes : trempez dans l'eau savonneuse et frottez légèrement à la main ; lavez ensuite comme d'habitude.

Le linge avec broderie est repassé d'abord à l'envers, et ensuite du bon côté.

Il existe un savon contre la rouille. Tout d'abord, on lave la tache à la main, puis on lave le linge comme d'habitude.

L'huile et la graisse : les vêtements sont toujours trempés d'abord dans un produit de prélavage, et les taches sont frottées à la main. Ensuite, lavez comme d'habitude.

Nettoyage

Argenterie : elle est faite pour être utilisée et elle s'égratigne à l'usage ; c'est ce qui fait le charme de l'argenterie et lui donne une patine très appréciée. Plus on utilise l'argenterie (ou les pièces plaquées argent), moins on a besoin de les nettoyer. J'ai horreur de voir des services à thé (ou café) emballés dans du papier de plastique. Si on n'a pas le temps de s'occuper de son argenterie, on ferait mieux de ne pas en avoir !

Attention aux "dips" qui promettent que l'argenterie sortira parfaitement propre seulement en trempant les pièces dans le liquide. Pour la plupart, ces liquides sont trop forts et l'argenterie en sort toute blanchie, sans vie, et les pièces ont perdu de leur beauté.

Employez plutôt un nettoyeur doux et des mouchoirs de papier, ou des boules de coton. Pour les coins et crevasses, utilisez une vieille brosse à dents. Frottez et rincez à l'eau très chaude.

Les pièces en argent (ou argentées) qui servent seulement pour la décoration (non les morceaux utilisés pour la nourriture) gardent leur éclat plus longtemps si elles sont arrosées avec de l'essence à briquet après le polissage.

Si les morceaux qui ne servent pas pour la nourriture se sont seulement ternis un peu, on peut tout simplement les polir avec du Windex et des mouchoirs de papier.

Toute argenterie peut être rafraîchie lorsqu'elle commence à se ternir, en la lavant dans l'eau savonneuse et en la rinçant ensuite dans l'eau très chaude.

Enlevez la cire des bougeoirs (voir : **LA DECORATION**).

Les tiroirs pour l'argenterie peuvent être faits facilement : disposez dans les tiroirs des compartiments à couverts, en bois ou en plastique, que l'on gaine avec du tissu spécial à argenterie (disponible dans les magasins spécialisés). Pour les couverts en inox, on peut gainer des compartiments de couleurs variées avec de la feutrine autocollante.

Les experts sont tous d'avis que l'argenterie ne devrait pas être polie trop souvent. Il est préférable d'utiliser de l'eau chaude savonneuse plus souvent, et de ne pas la laisser trop se ternir.

Il y a un fini commercial qui peut être appliqué sur l'argenterie. Je ne recommande pas ce procédé pour les morceaux précieux.

Attention au polissage à la machine. A chaque polissage, une couche d'argent est enlevée, ce qui est spécialement dangereux pour l'argenterie plaquée. Le fini peut être endommagé et exposer le métal.

Argent pur plaqué or : vermeil. Mais l'or plaqué sur argent plaqué s'enlève très vite, même si les morceaux ne sont jamais utilisés. Ça ne dure même pas 6 mois.

Les ustensiles en argent (ou plaqués argent) pour la table sont chers et luxueux et, à mon avis, devraient être lavés à la main. Si on veut utiliser la laveuse à vaisselle, on devrait enlever l'argenterie avant le cycle du séchage.

Attention à la mayonnaise, au ketchup et au jaune d'oeuf : l'argenterie peut devenir noire ou verte. Parfois, ces taches s'enlèvent seulement au polissage mécanique, qui est très cher et calculé à la pièce, tout en tenant compte de la grosseur de chaque morceau.

Il est mieux de tremper les bijoux en argent dans 1/2 tasse de vinaigre, avec 2 c. à table de bicarbonate de soude, pendant 2 à 3 heures. Rincez sous l'eau chaude et polissez avec des mouchoirs de papier.

Les assiettes en argent qui retiennent l'odeur du poisson sont lavées à l'eau savonneuse avec un peu de moutarde sèche (1 c. à thé). Rincez bien à l'eau chaude.

Etain : à nettoyer comme l'argenterie. Le nettoyeur liquide pour l'argenterie sert tout aussi bien pour l'étain. Il est possible de faire repolir l'étain à la machine, mais c'est toujours visible après, car l'étain est moins dur que l'argent.

Les taches noires sur l'étain très vieux peuvent être enlevées (avec prudence) avec un peu d'abrasif ou de laine d'acier.

Aluminium : enlevez les taches et décolorations avec une solution de 3 c. à thé de crème de tartre et du jus de citron pour chaque pinte d'eau. Laissez tremper le morceau à nettoyer pendant 10 minutes. Ensuite, frottez légèrement avec du S.O.S.

Laiton et cuivre : frottez légèrement avec de la laine d'acier et de l'ammoniaque. Rincez sous l'eau courante et séchez soigneusement. On peut utiliser le nettoyeur "Brasso", qui est aussi très efficace.

Cuivre plaqué : ce sont des pièces modernes qu'on trouve habituellement aujourd'hui. N'utilisez jamais de laine d'acier ; seulement un nettoyeur pour métal, ou de l'ammoniaque.

Cuivre laqué : lavez à l'eau savonneuse. Si la laque commence à peler, enlevez-la complètement, lavez, séchez soigneusement et appliquez une nouvelle couche de laque.

Chrome : utilisé pour les meubles, peut être facilement nettoyé avec un nettoyeur-protecteur pour le chrome qu'on trouve dans les magasins de fournitures pour automobiles. Les égratignures les plus profondes sont traitées avec une peinture aluminium au fini chrome.

Le chrome peut être protégé de l'humidité, de la rouille, etc., si on applique une couche de laque claire avant l'usage.

Une couche de cire à meubles donne aussi une bonne protection au chrome.

Les taches d'eau sur le chrome peuvent être enlevées avec du jus de citron.

Plastique : les bottes en plastique de couleur blanche ou claire peuvent être nettoyées avec un mélange de kérosène et d'abrasif appliqué avec un chiffon. Les bottes deviennent comme neuves.

Pour éviter que les napperons en plastique collent ensemble, saupoudrez d'un peu de talc.

Je possède un gros pendentif en argent qui noircit mes vêtements ; j'ai recouvert d'une couche de vernis à ongles transparent les endroits qui touchent les vêtements. Voilà : plus de taches noires !

Meubles en plastique : une table en lucite a besoin d'autant de soins attentifs qu'une table Louis XV. Il est bon de donner une mince couche de cire. Si on veut nettoyer du plastique, il vaut mieux prendre de l'eau savonneuse. Ne jamais utiliser de l'alcool pour nettoyer le plastique. Les magasins qui vendent le plastique peuvent vous fournir un nettoyeur.

Remarque : les tables en plastique (aussi bien que les tables en verre) s'égratignent et il est préférable de les laisser telles quelles que d'appliquer un liquide qui ternira la pièce. Comme l'argenterie, le bois et le verre, le plastique prend de l'âge (patine) et ce n'est rien d'autre que de petites égratignures. Les connaisseurs disent que c'est ce qui donne du "caractère" aux meubles, et qu'on ne devrait jamais les faire repolir.

Si on préfère un peu moins de "caractère", on peut utiliser (oui, c'est vrai) un peu de pâte dentifrice Crest, qui est très peu abrasive, mais suffisamment pour adoucir la surface du plastique. (Mais doucement s.v.p. !)

Pour les égratignures profondes et les brûlures, mieux vaut consulter un professionnel. Les verres en plastique : lavez dans l'eau avec ammoniaque et rincez bien sous l'eau claire très chaude. (Les verres en plastique, évidemment, sont seulement pour les pique-niques, les fêtes enfantines, etc.)

Poterie (faïence) : se tache très facilement, surtout les tasses à thé et la théière. Lavez avec de l'eau et du bicarbonate de soude (3 c. à table de soda avec 1 pinte d'eau). Laissez tremper quelques heures, rincez à fond sous l'eau chaude. Pour les taches plus profondes, faites une pâte avec du bicarbonate de soude et un peu d'eau et répandez sur la tache. Laissez sécher et rincez comme plus haut.

Le marbre

Les grands sculpteurs ont depuis toujours utilisé le marbre, par exemple Praxitèle (deuxième partie du Ve siècle avant J.-C.), Michel-Ange (1475-1564), Henry Moore (1898) et Hans Arp (1887-1966). Le marbre est beau et durable, avec une merveilleuse texture, fraîche mais vivante et chaude. Les couleurs du marbre, qui vont du blanc au rosé au rouge jusqu'au vert, au bleu, et du jaune au noir, sont pleines de profondeur et il est, si on le veut, soit lisse et brillant, soit mat et doux.

Les parterres des villas des empereurs romains étaient en marbre noir et blanc ; les palais de Venise et ceux qui furent construits par Catherine de Médicis après son mariage avec le Dauphin de France, pour n'en nommer que quelques-uns d'une liste très impressionnante, furent entièrement décorés de marbre venant d'Italie.

Le marbre est une pierre calcaire, chauffée et compressée par une action géologique jusqu'à la recristallisation dans une forme plus dure que la pierre originale. Les différentes couleurs sont causées par les traces de minéraux qui étaient présents pendant la transformation du marbre.

Un citron coupé en deux et trempé dans le sel nettoie les taches sur une table de marbre. Lavez à l'eau savonneuse et rincez.

Comment garder le marbre blanc ? Donnez une mince couche de cire claire et polissez.

Le marbre poli est traité comme le bois fin, avec une cire fine. De temps en temps, lavez à l'eau savonneuse, rincez et remettez de la cire.

Les parterres en marbre sont nettoyés avec Ajax (ou autre nettoyeur abrasif) ; rincez. N'employez pas de cire ou de nettoyeur avec acrylique, car le marbre pour parterre est poreux et la cire reste dans les pores, d'où elle ne peut pas être enlevée lorsque le marbre est sale. Fantastic est très bon pour nettoyer les parterres en marbre ; rincez ensuite.

Le vin, la bière, les jus de fruits : parfois, ces taches s'enlèvent d'elles-mêmes après quelques jours (étrange mais vrai). Les experts conseillent d'attendre une semaine avant d'essayer de les enlever. Si nécessaire, utilisez un cataplasme trempé dans une solution de peroxyde d'hydrogène (20 volumes) mélangée à quelques gouttes d'ammoniaque (attention aux vapeurs : portez des gants). Laissez 48 heures dans une pièce bien aérée. Enlevez le cataplasme, rincez, laissez sécher. Si nécessaire, répétez.

Les taches de lait, beurre, crème, huiles à salades, moutarde : trempez un cataplasme dans de l'acétone mélangée avec de l'acétate à proportion de 1 pour 1 (achetez dans une bonne quincaillerie). Laissez sécher complètement, rincez bien ; si nécessaire, répétez. Si une couleur jaune reste, enlevez avec un décolorant.

La peinture s'enlève avec un couteau ; cirez ensuite. Ou : employez un décapant et ensuite un décolorant et cirez.

Les taches de rouille : sont à enlever avec un abrasif, ce qui est parfois aussi efficace pour les taches d'encre.

Les taches d'encre peuvent aussi être enlevées avec un papier buvard trempé dans l'alcool, suivi d'un buvard trempé dans l'ammoniaque ; si nécessaire, utilisez ensuite un décolorant et cirez.

Les procédés mentionnés ci-haut sont à utiliser attentivement et soigneusement si on veut des résultats satisfaisants. Ils ont tous été mis à l'essai. Et n'oubliez surtout pas que les experts peuvent réparer les tables en marbre antique, si toutefois elles ne sont pas trop endommagées !

Bois : les tables anciennes (antiques) peuvent être traitées par des professionnels pour donner un fini qui empêche les égratignures, taches, etc. Ils utilisent une sorte de cire à cacheter qui est invisible et durable. Mais remarquez que ce sont les petites égratignures (ou patine) qui donnent de la valeur aux meubles antiques, comme pour l'argenterie antique et toute autre antiquité.

Les taches d'alcool s'enlèvent avec un peu d'huile d'olive. Un peu de beurre aide parfois si rien d'autre ne fait l'affaire.

Rouge à lèvres sur les meubles en bois clair : utilisez un peu de dentifrice sur un chiffon et frottez légèrement. Parfois, la graisse s'enlève très facilement si on peut immédiatement couvrir la tache avec du sel. (Mais pas devant les invités, s.v.p., surtout si ce sont eux qui ont causé le malheur. Rien n'est plus embarrassant pour un invité que d'avoir fait un dégât !)

Taches blanches sur meubles en acajou : s'enlèvent avec une épaisse couche de gelée de pétrole blanche. Laissez pendant 48 heures et polissez.

Un mélange en parties égales d'huile de graines de lin, de térébenthine et de vinaigre, appliqué avec des "Q-Tips" sur les petites égratignures, couvre très souvent les taches d'une façon remarquable. On peut aussi polir (soigneusement) une table avec égratignures, à l'aide d'un linge doux, trempé dans l'alcool dénaturé.

Essayez un peu de cirage en liquide pour chaussures (très soigneusement et avec couleurs assorties) pour retoucher les égratignures.

Pour épousseter les meubles en bois (même blancs), utilisez un nettoyeur (comme Pledge, par exemple) qui contient de l'huile.

Les taches sur les vêtements

Café : étendez le tissu où se trouve la tache sur un bol et faites couler l'eau bouillante sur la tache d'une hauteur de 12 à 24 pouces environ.

Graisse : frottez avec un morceau de savon sec et lavez à l'eau savonneuse tiède.

Liqueur : trempez à l'eau froide et lavez dans l'eau savonneuse chaude.

Fruits : frottez avec glycérine et traitez ensuite comme pour le café.

Utilisez toujours de l'eau froide pour les taches sur les vêtements; l'eau chaude, et même tiède, fait s'agrandir la tache et produit un cerne.

Gomme à mâcher : mettez un cube de glace sur la tache pendant quelques minutes. Le gomme se durcit et on peut l'enlever facilement.

Rouge à lèvres : frottez d'abord avec de la gelée de pétrole blanche — ou trempez dans l'eau savonneuse et frottez légèrement la tache — et lavez ensuite (eau chaude ou tiède, tout dépendant du tissu du vêtement).

La rouille du fer à repasser : un peu de jus de citron sur la tache, mettez au soleil, rincez bien (c'est une très vieille façon ; elle réussit à tout coup).

Autres suggestions utiles

Les lunettes : ne s'embrument pas en passant du froid au chaud si on les frotte avec une couche de savon ; polissez ensuite comme d'habitude. (Répétez tous les jours, ou tous les 2 jours).

Les lunettes "imperméables" (pour ceux qui sont souvent sous la pluie) : lavez les lunettes, séchez, frottez légèrement avec du savon des deux côtés. Polissez jusqu'à ce que tout le savon soit disparu ; voilà des lunettes "imperméables" !

Enlever les taches sur les lunettes : utilisez un peu de gin ou de vodka (bon aussi pour les lunettes fumées).

Les gants de cuir sont mieux lavés avec shampooing ou savon contenant de la lanoline. Ajoutez quelques gouttes d'huile d'olive au moment de rincer. Ceci remplace l'huile que contient le cuir normalement et qui est enlevée par le savon.

Les diamants (et autres pierres précieuses) peuvent être brossés (prudemment) avec un bon dentifrice ; rincez bien.

Pour les nettoyer plus en profondeur, trempez pendant au moins 30 minutes dans de l'eau savonneuse chaude avec quelques gouttes d'ammoniaque ; trempez dans de l'eau de seltz pendant 10 à 15 minutes. Secouez et séchez.

Pour enlever une bague trop petite, mettez du Windex sur le doigt. (C'est la meilleure façon.)

Les perles :

1) Portez aussi souvent que possible.

2) Attention au parfum, maquillage, poudre, laque à cheveux.

3) Essuyez souvent avec un linge humide.

4) Faites renfiler chaque année.

5) Gardez toujours en contact avec l'air.

6) Enveloppez toujours dans des mouchoirs en papier ou dans un étui en linge très doux (velours, par exemple).

7) Nettoyez les perles avec un peu d'huile d'olive (une par une, avec prudence).

Les broches ont tendance à déchirer les vêtements. Mettez un morceau de feutre derrière la broche et épinglez celle-ci à travers le tissu de la robe en plus du feutre. Cela empêche même les vilains trous.

La dentelle est plus jolie après le lavage si elle est trempée dans l'eau sucrée au lieu de l'amidon.

Les rideaux, légers et transparents, en dentelle, etc., peuvent être légèrement colorés "blanc cassé" en les trempant dans le thé. Dépendant de son intensité, on peut teindre jusqu'à la couleur jaune.

Pour l'homme qui aime le golf : les pantalons ont souvent des cernes de taches de verdure. Avant de laver les pantalons, frottez les cernes à l'eau savonneuse froide à la main. Lavez ensuite comme d'habitude.

Les cravates en tricot s'étirent si elles sont suspendues. Roulez-les plutôt pour l'entreposage.

Les cravates bien repassées sans les repasser ? Oui : accrochez-les dans la salle de bains pendant que vous prenez votre douche ; la vapeur les rend comme neuves.

Un homme d'affaires parfait garde toujours une cravate supplémentaire dans son bureau, en cas de malheur au lunch, tout comme une femme d'affaires devrait avoir une autre paire de bas dans son sac.

Les taches sur les cravates s'enlèvent souvent en les tenant au-dessus de la vapeur d'eau bouillante pendant quelques secondes et en frottant légèrement avec un linge propre.

Les taches d'eau sur la cravate s'enlèvent en la frottant avec une autre partie de la cravate.

Toujours faire attention que le tissage de la cravate ne change pas, ce qui la détruirait complètement.

Messieurs, vos chemises des grandes occasions restent parfaitement propres et bien repassées si elles sont gardées dans un papier ciré. Sceller les bords de l'emballage avec un fer tiède et vous aurez un emballage hermétique qui empêche l'air et la poussière de salir les chemises.

Le tissu des chemises ramasse souvent des petites boules de flou ; on les enlève avec un rasoir électrique. Ceci n'endommage ni le rasoir ni la chemise.

J'ai remarqué que beaucoup d'hommes portent les manches de leur veston beaucoup trop longues. Si les manches sont usées sur les bords, on peut tout simplement les faire raccourcir un peu.

Votre "tuxedo" doit être aéré au moins une fois par mois ! et brossé aussi ! Il faut acheter un bon cintre de qualité.

J'ai horreur des hôtesses qui veulent absolument épingler une fleur à la boutonnière (en satin) d'un smoking. Souvent, les femmes sont aussi dans une situation semblable lorsqu'elles arrivent à une réception. Sans vouloir être impolie ou difficile, on devrait refuser : les trous de ces épingles (surtout sur le smoking) sont impossibles à enlever.

Les mains dans les poches ? Mais non ! C'est pas poli - ni joli - et ça abîme votre costume !

Le linge de corps de couleur noire tourne souvent au brun après maints lavages. On peut lui redonner sa vraie couleur en ajoutant beaucoup de bleu dans le rince.

Savez-vous que vos bas de nylon dureront plus longtemps si vous les congelez avant de les utiliser ? Mouillez les bas, mettez dans un sac en plastique, congelez, retirez du congélateur lorsqu'ils sont complètement congelés, et dégelez. Il faut laisser sécher avant de les porter !

Mesdames, possédez-vous des bas de nylon de différentes couleurs (un seul de chaque couleur) ? Pour leur donner tous la même couleur, faites bouillir doucement tous ces bas ensemble pendant environ 15 minutes. Laissez refroidir dans la même eau, faites sécher.